MIGUEL DE CERVANTES SAAVEDRA

COMEDIA FAMOSA
DE
PEDRO DE URDEMALAS

EDICION, PROLOGO Y NOTAS DE
EDWARD NAGY
Rutgers University

LAS AMERICAS PUBLISHING CO.
NEW YORK

INDICE

FECHAS IMPORTANTES

de la vida de Miguel de Cervantes Saavedra

Nace: en Alcalá de Henares en 1547, fue bautizado el 9 de octubre, hijo del cirujano Rodrigo de Cervantes y de doña Leonor de Cortinas.

Muere: en Madrid, el 23 de abril de 1616 (a los cuatro días de escribir la dedicatoria del *Persiles*).

Fechas:

1564/65 ¿Estudia en Sevilla con los padres jesuitas?

1568/69 Estudia en Madrid; su maestro de humanidades, Juan López de Hoyos, llama a Cervantes "nuestro caro y amado discípulo".

1569   Marcha a Italia, donde sirve como Camarero al cardenal Acquaviva.

1570   Soldado desde este año.

1571   (el 7 de octubre) participa a bordo de la galera *Marquesa* en la batalla de Lepanto en la compañía de Diego de Urbina; herido de arcabuz en el pecho y en la mano izquierda. Seis meses en el hospital de Mesina.

1572   Soldado en Nápoles en el tercio de don Lope de Figueroa.

1573   Participa en la expedición a Túnez.

1575   Al volver a España, en septiembre de este año, la galera *Sol*, en que viaja, es apresada por el renegado Arnaute Mamí, cerca de la costa francesa. Es conducido cautivo (con su hermano Rodrigo) a Argel. Esclavo de Alí Mamí.

1580   Cautiverio hasta octubre de este año. Su hermano Rodrigo es rescatado antes (1577). Durante el cautiverio (cinco años) Cervantes intenta la evasión cuatro veces, sin éxito. Por fin, el trinitario fray Juan Gil consigue reunir su rescate (500 escudos) y lo libera el 19 de septiembre de 1580 hallándose ya embarcado en una galera con dirección a Constantinopla.

1580	Reside en Madrid. Tiene algunos empleos poco importantes.
1584	Se casa en Esquivias con doña Catalina de Salazar y Palacios, hidalga, 19 años más joven que él (antes de casarse tiene con Ana Franca una hija natural, Isabel de Saavedra); vive mucho tiempo separado de su mujer Catalina.
1597 y 1602	Encarcelado en Sevilla durante tres meses por trabacuentas y por la quiebra de un banquero al que ha prestado los dineros oficiales. Comisario —1587— para abastecer la Armada Invencible y recaudador de impuestos (1590). Vive pobremente en Sevilla. Excomulgado por tomar ilícitamente cereales del Cabildo de Sevilla.
1603/04	Vive en Valladolid donde es encarcelado breve tiempo con ocasión de la muerte, a la puerta de su casa, del caballero Gaspar de Ezpeleta.

Obras literarias.

1585	Publica su primera novela *La Galatea* (Novela pastoril en seis libros).
1605	*El ingenioso hidalgo don Quijote de la Mancha* (I. parte
1615	y II. parte).
1613	*Las novelas ejemplares.*
1614	el *Viaje del Parnaso.*
1615	*Ocho comedias y ocho entremeses* (antes —la primera época teatral de Cervantes— estrena con éxito otras obras teatrales de las que se conservan dos).
1615	Escribe *Los trabajos de Persiles y Segismunda* (larga novela bizantina, publicada póstumamente, en Madrid, 1617).

Sus protectores:

El conde de Lemos y el cardenal don Bernardo de Sandoval y Rojas, arzobispo de Toledo.

PROLOGO

El teatro de Cervantes: Comedias.

Cervantes no es un dramaturgo despreciable.

Exceptuando los *Entremeses,* puede decirse que, en general, el teatro de Cervantes se ha quedado en la sombra. El fenómeno se debe, en parte, al extraordinario éxito del *Quijote* y las *Novelas,* mas no en menor grado a la formidable "monarquía cómica" de Lope de Vega. (1) Para una justa apreciación del teatro de Cervantes, Emilio Cotarelo y Mori nos muestra el camino a seguir cuando dice: "Las comedias de Cervantes pertenecen a un sistema dramático muy diferente del de Lope de Vega, y con arreglo a esto deben ser juzgadas". (2) Situado dentro del Siglo de Oro, Cervantes enlaza dos períodos de esa gloriosa era: el prelopista, del cual se conservan dos comedias del propio Cervantes, y el moderno, correspondiente a la Comedia Nueva y las fórmulas estéticas denominadas "modernas" en contraposición con los métodos e ideas del primer período. Por su parte, [Cervantes nunca aceptó plenamente las fórmulas dramáticas "modernas" mantenidas por Lope de Vega y su escuela]

Se dice que Cervantes fue más constructor de escenas (3) que de obras; que a su arte dramático le falta la

---

(1) "Sin la boga del resto de la producción cervantina, no se hubiera censurado tanto la producción dramática del Príncipe de nuestros ingenios". Eduardo Juliá Martínez, "Estudio y técnica de las comedias de Cervantes" en *RFE,* Madrid, 1948, XXXII.

(2) Emilio Cotarelo y Mori, *Efemérides cervantinas* (Madrid, 1905), pág. 264.

(3) "... el gran inventor, el creador de escenas, ritmos y figuras". Joaquín Casalduero, *Sentido y forma del teatro de Cervantes* (Madrid: Aguilar, 1951), pág. 181.

poesía interna, trabazón y flexibilidad. No se exagera, pero siguiendo el ejemplo cervantino de visión objetiva de las cosas, nos inclinamos a completar lo defectuoso, agregándole lo positivo: "Pero adviértase que esto no tiene que ver —continúa Cotarelo— con el estilo . . . ciertos caracteres y pinturas de personajes, cosas y lugares, en los cuales es siempre Cervantes dueño y señor del arte de expresar sus ideas por medio de la palabra". (4) Por eso todos están de acuerdo en que, p.ej. la primera jornada de su comedia *El rufián dichoso* contiene ambientes del hampa sevillana que junto con *Rinconete y Cortadillo* representan lo mejor que se haya escrito de aquella gente en la literatura de la época. Por lo que toca a la comedia *Pedro de Urdemalas,* Valbuena no exagera cuando dice que es "la más sugestiva y animada de Cervantes y ha conseguido los mayores y unánimes elogios de la crítica. (5).

La afición y preocupación de Cervantes por el teatro — Lope de Vega y su nueva fórmula dramática.

> *"Los tiempos mudan las cosas*
> *y perfeccionan las artes"*
> *El rufián dichoso,* Jorn. II, vv. 21-23.

De los dos genios, cada uno frustrado a su modo —el mejor poeta o el mejor prosista— quedan *Ocho comedias*

---

(4) Cotarelo y Mori, pág. 264; Dice el otro crítico: "Cervantes ha brillado especialmente en escenas aisladas, singularmente en el entremés, siendo lo mejor de las comedias aquellos pasajes que tienen la construcción y características de este género . . . por el acierto en la pintura de los personajes de menor talla del entremés, por su agudo sentido del humor, por lo jugoso y humano de la sátira, por el talento con que se sirve de efectos tan ingeniosos como el teatro dentro del teatro (véase "juicios"), Cervantes no es en modo alguno un dramaturgo desdeñable". Francisco Yndurain, *La Numancia* (Madrid: Aguilar; 1964), pág. 22.

(5) Angel Valbuena Prat, Obras completas de M. de Cervantes, *Teatro* (Madrid: Aguilar; 1956), pág. 497.

y *ocho entremeses,* correspondientes a Cervantes, y todo
un mundo de comedias y el *Arte nuevo de hacer comedias en este tiempo,* correspondientes a Lope. Es legítimo
dudar del éxito de Cervantes en su empeño por erigirse
como dramaturgo profesional.

En el prólogo a sus *Ocho comedias y ocho entremeses, nunca representados* (1615), Cervantes se cita como
autor de *Los tratos de Argel, La destrucción de Numancia* y *La batalla naval.* Se atribuye, con dudoso derecho,
la reducción de cinco a tres jornadas, (6) la introducción
de figuras morales (7) y el haber compuesto "en este
tiempo hasta veinte comedias o treinta, todas ellas se
recibieron sin que se les ofreciese ofrenda de pepinos ni
otra cosa arrojadiza... Tuve otras cosas en que ocuparme;
dejé la pluma y las comedias, y entró luego el monstruo
de naturaleza, el gran Lope de Vega, y alzóse con la monarquía cómica". Consciente de la grandeza teatral de
Lope, Cervantes no encubre el golpe que ello representa
para su ambición y hasta cierto punto lo confirma en el
título cuando agrega: "nunca representadas". Mas su larga lucha por hacerse hombre de teatro, que empieza en
su mocedad, no habrá de terminar sino en los últimos
años de su vida, con resultado que sería injusto desdeñar.

Cervantes teorizó en diferentes ocasiones sobre la drama-
turgia, haciendo no pocas alusiones satíricas a la escuela
de Lope de Vega. Al final de la comedia *Pedro de Urde-*

---

(6) "me atreví a reducir las comedias a tres jornadas de cinco
que tenían". Pero, Francisco de Avendaño en su *Comedia
Florisea* (1551) se siente orgulloso del "primor" de haber di-
vidido la obra en tres jornadas.

(7) "mostré, o, por mejor decir, fui el primero que representase
las imaginaciones y los pensamientos escondidos del alma, sa-
cando *figuras morales* al teatro, con general y gustoso aplau-
so de los oyentes"; Bonilla y San Martín, citado por Ricardo
del Arco y Garay, *La sociedad española en las obras de Cervantes,* (Madrid, 1951), pág. 503, dice, que las figuras morales ya aparecen, entre otras producciones dramáticas, en las
de Diego Sánchez de Badajoz.

malas, donde se anuncia la representación de otra comedia, Cervantes, malhumorado contra los poetas noveles, satiriza los tópicos que se repiten en las comedias:

> *y verán que no se acaba en casamiento,*
> *cosa común y vista cien mil veces,*
> *ni que parió la dama esta jornada,*
> *y en otra tiene el niño ya sus barbas,*
> *y es valiente y feroz, y mata y hiende,*
> *y venga de sus padres cierta injuria,*
> *y al fin viene a ser rey de un cierto reino*
> *que no hay cosmografía que le muestre.* (8)
>
> (vv. 3169-76)

Es curioso notar la falta de firmeza de ideas que, con relación al arte dramático de Lope, señala Cervantes en sus obras; por ejemplo, en los muy conocidos pasajes del *Quijote* (1605), cap. 48, y en versos menos conocidos de la segunda jornada de su comedia *El rufián dichoso.* En el *Quijote,* Cervantes, que pertenece a la escuela de Juan de la Cueva y Cristóbal de Virués, critica, entre otros vicios, los "disparates" de los poetas modernos por no sujetarse, a las tres unidades dramáticas:

> *porque habiendo de ser la comedia, según le parece a Tulio, espejo de la vida humana, ejemplo de las costumbres e imagen de la verdad, (9) las que ahora se representan son espejos de disparates, ejemplos de necedades e imágenes de lascivia . . . Y ¿qué mayor (disparate) que pintarnos un viejo valiente y un mozo cobarde, un lacayo retórico, un paje consejero, un rey ganapán y una princesa fregona? ¿Qué diré, pues, de la observancia que guardan en los tiempos en que pueden o podían suceder las acciones que represen-*

---

(8) Véanse también, vv. 2862-71; 2894-2927 en la misma comedia.

(9) Lope de Vega, en el *Arte nuevo,* alude también a este precepto de Cicerón. Tirso de Molina, ferviente defensor de la dramática de Lope, dice: "¿Quieres ver los epítetos / que de la comedia he hallado? / De la vida es un traslado, / sustento de los discretos". *El vergonzoso en Palacio,* II.

tan, sino que he visto comedia que en la primera jornada comenzó en Europa, la segunda en Asia, la tercera se acabó en África, y así se hubiera hecho en todas las cuatro partes del mundo?

En *El rufián dichoso,* que apareció en la citada colección (1615), pero que debió escribirse "bastante antes", como señala Yndurain, y parece, por su palinodia, posterior a la primera parte del *Quijote,* Cervantes confirma la necesidad de aceptar la nueva situación creada por la fórmula dramática de Lope de Vega:

El rufián dichoso
(Jornada segunda)

Salen dos figuras de ninfas, vestidas bizarramente, cada una con su tarjeta en el brazo; en la una viene escrito CURIOSIDAD, y en la otra COMEDIA.

Curiosidad.

    ¿Comedia?

Comedia.

    Curiosidad,
    ¿Qué me quieres?

Curiosidad.

    Informarme,
qué es la causa por que dejas
de usar tan antiguos trajes,
de coturno en las tragedias,
del zueco en las manuales
comedias, y de la toga
en las que son principales;
cómo has reducido a tres
los cinco actos que sabes
que un tiempo te componían
ilustre, risueña y grave;
ahora aquí representas,
y al mismo momento en Flandes;
truecas sin discurso alguno
tiempos, teatros, lugares.

Véote, y no te conozco.
Dame de ti nuevas tales
que te vuelva a conocer,
pues que soy tu amiga grande.

Los tiempos mudan las cosas
y perfeccionan las artes,
y añadir a lo inventado
no es dificultad notable.
Buena fui pasados tiempos,
y en éstos si lo mirares,
no soy mala, aunque desdigo
de aquellos preceptos graves
que me dieron y dejaron
en sus obras admirables
Séneca, Terencio y Plauto,
y otros griegos que tú sabes.
He dejado parte de ellos,
y he también guardado parte,
porque lo quiere así el uso,
que no se sujeta al arte.
Yo represento mil cosas,
no en relación, como de antes,
sino en hecho, y así, es fuerza
que haya de mudar lugares;
que como acontecen ellas
en muy diferentes partes,
voime allí donde acontece:
disculpa del disparate.
Ya la comedia es un mapa
donde no un dedo distante
verás a Londres y a Roma,
a Valladolid y a Gante.
Muy poco importa al oyente
que yo en un punto me pase
desde Alemania a Guinea
sin del teatro mudarme;
el pensamiento es ligero:
bien pueden acompañarme

con él doquiera que fuere,
sin perderme ni cansarme.

....

Es evidente la antinomía entre los razonamientos que hemos transcrito del *Quijote* y lo expuesto por las figuras alegóricas (la "Comedia") en *El rufián dichoso.* Vemos que la técnica anunciada en *El rufián* procede del *Arte nuevo* de Lope de Vega; (10) pero, de hecho, en ninguna de sus *Ocho comedias* (1615) Cervantes, siempre prelopista, acepta servil o definitivamente la fórmula dramática del Fénix. Cervantes nunca se resignó a abandonar el criterio del "clasicismo" dominante en su juventud. Para él, aparte del problema técnico de las tres unidades, la creación dramática debía concentrarse en el vigor de las pasiones y en la pintura de los personajes, y en ésta *Pedro de Urdemalas* no es un ejemplo desdeñable. En resumen, desde la primera época (1580-87), de la cual nos quedan dos comedias, *Los tratos de Argel* y *La destrucción de Numancia,* (11) Cervan-

---

(10) "It will be clear (from a perusal of the extract given from the *Rufián dichoso*) that the views of Cervantes underwent a considerable change; he there appears as ready to support the principles of the drama as fixed by Lope de Vega's practice, as he is ready to condemn them in *Don Quijote.* A circunstance of some significance is the fact that in the latter passage he refers to the dramas of Argensola, whose memorial against the theatre he must have known . . . both Cervantes and Argensola were disappointed dramatists, and were inclined to attribute their failure rather to the debased nature of the public taste than to defects in their own capacities or methods". H. J. Chaytor, *Dramatic Theory in Spain* (Cambridge, England: Cambridge University Press, 1925), pág. 30.

(11) Cervantes empezó a escribir para el teatro a su regreso del cautiverio, y de unas veinte o treinta obras que en el plazo de algunos años estrena con éxito en Madrid nos quedan diez títulos: *Los tratos de Argel, La destrucción de Numancia, La batalla naval, La gran turquesca, La Jerusalem, La Amaranta o la del Mayo, El bosque amoroso, La única, La bizarra Arsinda* y *La Confusa.* Su afición al teatro es incansable, todavía en 1615 cuando aparece *El engaño a los ojos.*

tes aceptó teórica y prácticamente una que otra regla de Lope y algunas de sus innovaciones.

Pedro de Urdemalas — Fuente y fortuna literaria.

"Es un Pedro de Urdemalas"
(Correas)

Pedro de Urdemalas era el nombre de un tipo legendario y popular cuyos enredos, burlas y tretas ingeniosas —consejas, si son de significación moral— le valieron el sobrenombre de Urdemalas (12) y alimentaron la imaginación popular de generación en generación: cada una le añadía nuevos cuentos. (13) Aunque ha logrado incorporarse al plano de la literatura desde antes de Cervantes, ha de ser sólo con éste que cobrará su forma y psicología definitivas, adquiriendo además "un fondo de cálida y simpática humanidad". (14).

A continuación señalamos un número de obras donde se le menciona: (15)

En la Almoneda (escrita antes de 1496), poema grotesco de Juan del Encina (¿1468? - 1529), entre las cosas y libros absurdos que solía tener un pobre estudiante —haciendo inventario de lo que vendía para ir a Bolonia—:

---

(12) Recuérdese el sintagma "rastrapajas" de Berceo. El equivalente portugués de Pedro de Urdemalas es Payo de Maas Artes, que a su vez, corresponde a Pedro de Malas Artes, usado también en Castilla.

(13) Se le define como "tretero" del que "andan cuentos en el vulgo que hizo muchas burlas a sus amos y a otros"; existen sentencias y frases como "Es un Pedro de Urdemalas" (el que es tretero) (*Correas*).

(14) Angel Valbuena Prat, *op. cit.* págs. 497-98.

(15) Amalia A. del Río dice que Pedro de Urdemalas es "personaje de tradición popular mencionado por primera vez en el *Libro del passo honroso de Suero de Quiñones*", luego, en la nota 30 dice: "Véase José M. Blecua, "Una vieja mención de Pedro de Urdemalas", *AC*, 1951, I, pág. 344 (Amalia A. del Río, "El teatro cómico de Cervantes", *Boletín de la Real Academia Española*, Mayo-Agosto, 1964, Madrid, pág. 274).

e un libro de consejas
de buen Pedro de Urdemalas.

En la *Egloga o farsa del nascimiento de nuestro redemptor Jesucristo* (escrita en 1500) de Lucas Fernández, dice Gil: "¿Vos sois Pedro de Ordemalas, o Matihuelo? (Sch. y B.

Francisco Delicado, en *La lozana andaluza* (1528) lo menciona como una especie de burlador de mujeres. Cristóbal de Villalón, en el *Viaje a Turquía,* tiene un interlocutor llamado Pedro de Urdemalas junto con Juan Voto-a-Dios y con Mátalas-callando. Aquí el personaje tradicional no actúa conforme a su carácter acostumbrado.

De los dramaturgos que hacen alusiones a Pedro de Urdemalas mencionemos a Lope de Vega y a Tirso de Molina. Damos a continuación los siguientes ejemplos: Lope de Vega en *Santiago el Verde* (Acto II, escena 15) :

Pedro.—

Temeraria empresa intento;
por un loco lo soy tanto.
Si hablando están divertidos,
quiero llegarme a Teodora.
¡Ce, Teodora, mi señora!
¡Que ciegue amor los sentidos
de mi ánimo en tal porfía!

Teod.—

¿Es Pedro?

Pedro.—

Y el de Urdemalas.

Tirso de Molina en *La Villana de Vallecas* (Acto III, escena 18) :

Aguado.—

Que eres Pedro de Urdemalas.

Da. Violante.—

Di Teresa de Urdebuenas.
La corte tengo enredada.

En *Don Gil de las calzas verdes* (Acto II, escena I) :

Quintana (a Da. Juana).—
No sé a quién te comparar:
pero ¿cuándo las mujeres
Pedro de Urdemalas *eres*:
no supistes (16) *enredar?*

En *La huerta de Juan Fernández* (Acto II, escena 4),
también de Tirso, leemos:

Mansilla.—

Estaba una villaneja
oyendo entre los demás,
tan carihermosa, que atrás
las Amarilis se deja.

....

Fuéronse a acostar al cabo
los viejos, y entre la loza
fregatizando la moza
con tal gracia (no la alabo
cual merece) se quedó,
que si el sol verla pudiera,
para estropajo la diera
su dorado moño. Yo
que la vi ensuciando espumas,
llego por detrás quedito,
y el sombrero que me quito,
la pongo con banda y plumas;
y ella entonces, no peñasco,
pero algo requesón ya,
respondiéndome: "Arre allá",
en un espejo, ya casco,
se fue a mirar al candil,
y arrimando la sartén,

---

(16) Don Ildefonso Manuel Gil, en su edición de *Don Gil de las*
calzas verdes (Clásicos Ebro, pág. 56, nota 2) dice: "Supistes,
todas las ediciones, incluso Bourland. Creo que el sentido exige "supisteis", vosotras, las mujeres".

dijo: *"A ver si me está bien."*
El dimuño que es sotil,
hizo entonces de las suyas,
si Pedro *yo de Urdemalas;*
y como extranjeras galas
en bobas son aleluyas,
tanto pudieron con ella,
que a los ecos de un "marido
tuyo soy" (hechizo ha sido
que encanta toda doncella)
siendo tálamo el escaño,
la chimenea madrina,
a vista de la cocina,
hubimos año, buen año.
Dueña, aunque no de su casa
la moza, y ya yo su dueño,
entró el sol antes que el sueño,
y caricuerda Tomasa
(que este apellido la dan),
me conjuró que cumpliese
mi promesa y que volviese,
en saliendo capitán,
por ella; y a fe de hidalgo,
que he de hacerla mi mujer,
si bien esto no ha de ser
mientras capitán no salgo.

El nombre de "Pedro de Urdemalas" figura como enredador o burlador.

Alonso Jerónimo de Salas Barbadillo intitula su novela *El sutil cordobés Pedro de Urdemalas* (1620). Lo citan Espinel y Quevedo. En el auto calderoniano *El gran mercado del mundo* (¿1632?) la Culpa toma la forma de Pedro de Urdemalas, valiéndose de disfraces para engañar al buen Genio y al mal Genio. Si hemos de señalarle símiles en otras literaturas, no es difícil descubrirle algo de Till Eulenspiegel, Jack Wilton y Scapin.

No contamos hasta la fecha con ninguna prueba de que haya existido, y luego se perdiera, una colección de tretas o una antigua novela picaresca que tratara de la vida y fechorías de Pedro de Urdemalas. (17) Parece más probable, como Schevill y Bonilla señalaron hace tiempo, que los escritores se han valido de la tradición oral y que las burlas, tretas y oficios de Pedro son producto de la invención individual, en nuestro caso de la de Cervantes, quien, dentro de la esfera del arte, mueve a su capricho al protagonista, mas sin olvidar la tradición popular de cuya esfera lo sacó para enriquecerlo artísticamente.

Pedro de Urdemalas y otros personajes dentro de la comedia.

"Yo soy hijo de la piedra"
Pedro de Urdemalas,
Jorn. I, v. 600

---

(17) Emilio Cotarelo y Mori dice que "Esto de la existencia de un libro popular de las aventuras de Pedro de Urdemalas, parece cosa cierta, teniendo en cuenta lo que dice Lope (?) en la comedia que ahora imprimimos (*Pedro de Urdemalas*) (pág. 427):

Laura.—
　　　Pedro de Urdemalas soy.

Lisarda.—
　　　¿Hay mujer más desdichada?

Duque.—
　　　Pues, ¿dónde resucitaste?
　　　Mil años ha que se canta
　　　esa fábula en el mundo.

Laura.—
　　　Señor, su libro fue causa,
　　　entre muchos que leí
　　　en mi tierna edad pasada.

Sería probable —continúa Cotarelo— una historia popular en verso, que hoy se ha perdido por completo". Emilio Cotarelo y Mori, prólogo, pág. XXX, *Obras de Lope de Vega*, publicadas por la RAE, tomo VIII, Madrid, 1930. En este tomo figura la comedia titulada *Pedro de Urdemalas*, de dudosa paternidad, cuya "verosimilitud —según Cotarelo— sobre todo del personaje principal, queda malparada".

Teniendo en cuenta, al entrar en la lectura de la comedia, lo dicho y citado hasta ahora, veremos con qué facilidad acapara el engañador Pedro de Urdemalas nuestra atención como figura central en toda una rica galería de tipos —figuras de tradición literaria, o más bien, entremesil— exceptuando la escena en que se finge gitano y descuella *stands out* más la gracia de la gitanilla Belica, pasando él a un segundo plano.

El joven proletario, de origen desconocido, cuenta sus aventuras teñidas de elementos picaresco —hampescos, en su bello y rápido romance en —i:

> *Yo soy hijo de la piedra,*
> *que padre no conocí.*

Cambia a menudo de oficios, es decir, de disfraces, completando así su experiencia del mundo bajo. Después de haber pasado por diez ocupaciones, (18) fue "mozo de labrador", consejero del rústico alcalde Pedro Crespo, ciego fingido, ánima en pena, gitano, falso ermitaño (cuando en-

---

(18) Es decir, después de haber aprendido como niño de doctrina, las oraciones, hurtar la limosna, leer, escribir y mentir, sirve de grumete y va a las Indias. De regreso le vemos en Sevilla, Córdoba y, por fin, en el campo. En Sevilla como: mozo de la esportilla (esportillero) *Basket errand boy*, criado de rufián ("mandil"), mochilero. En Córdoba: vendedor de aguardiente y naranjada, vendedor de suplicaciones, sirve diez meses a un ciego, luego, mozo de mulas y mozo de un fullero. En el campo: "mozo de labrador", etc. (vv. 610-742). "De todos estos oficios (el último el de cómico), sólo el de mozo de ciego está sacado de la antigua tradición picaresca. Los demás parecen de la invención de Cervantes, cuya obra, a nuestro juicio, es de lo más original que salió de su pluma . . ." (Sch. y B., Tomo VI, págs. 146-47).

gaña a una viuda para sacarle dinero) (19) y, en rápida aparición, falso estudiante. Sin embargo, siempre aspiraba a ser algo grande, animado por una profecía escrita en las rayas de la mano. Finalmente, el último oficio, el de actor de teatro, le descubre un amplio mundo de ilusiones, tranquilizándole el ánimo con la "realización" de promesas profetizadas:

> *Yo podré ser patriarca,*
> *pontífice y estudiante,*
> *emperador y monarca:*
> *que el oficio del farsante*
> *todos estados abarca.*

(vv. 2862-66)

Los farsantes aceptan su compañía después que Pedro ha gastado una burla a un labrador, robándole dos gallinas so pretexto de:

Pedro.—

> *sacar de Argel dos cautivos*
> *que están sanos y están vivos*
> *por la voluntad divina.*

(vv. 2719-21)

---

(19) Bajo falso pretexto de librar del purgatorio —"que es soga la caridad / para aquella cueva honda" vv. 2210-12— las almas de sus deudos. Es un cuadro de la época no lejos de la vida diaria de entonces, cuyos abusos, codicia, ingenuidad y fina ironía cervantina reflejan citas como éstas: "voime a vestir de ermitaño, / con cuyo vestido honesto / daré fuerzas a mi engaño". (vv. 1695-97); "Las almas del purgatorio / entraron en consistorio . . ." (vv. 1440-41; continúa Pedro, "comisario fidedino de las almas": "Infinitos otros vi, / tus parientes y criados, / que se encomiendan a tí, / cuáles hay de a dos ducados, / cuáles de a maravedí" (vv. 2257-61; las almas corteses y rescatadas bailarán agradecidas: "¿Qué será ver a deshora / que por la región del aire / va un alma zapateadora / bailando con gran donaire, / de esclava hecha señora?" (vv. 2302-2306).

El labrador.—

> defiende así su "pobre caudal":
> *Rescaten a esos cristianos*
> *los ricos, los cortesanos,*
> *los frailes, los limosneros:*
> *que yo no tengo dineros,*
> *si no lo ganan mis manos.*

(vv. 2737-41)

Pedro de Urdemalas no se convierte en pícaro porque Cervantes, que nunca pierde control sobre ningún elemento de sus obras, hace "de esta experiencia múltiple, de este cambio constante, la figura ideal, esencial, del actor". (20) Entonces, con el nombre de Nicolás de Ríos, famoso actor contemporáneo de Cervantes, va a coincidir el nombre del desconocido, simpático e ingenioso Pedro de Urdemalas, ahora Pedro-Nicolás: (21)

> *en nombre de Nicolás,*
> *y el sobrenombre de Ríos,*
> ....
> *será mi nombre extendido*
> *aunque se ponga en olvido*
> *el de Pedro de Urdemalas.*

(vv. 2820-30)

El alcalde Martín Crespo
"cuando les dé sentencia rota y justa".
Jorn. I, v. 300

El labrador Martín Crespo, padre de Clemencia, elegido alcalde, es un tipo tradicional del teatro cuya rudeza y necedad son fuentes de comicidad. Los disparates que sa-

---

(20) Casalduero, *op. cit.* pág. 178. Pedro, como actor "en su unidad contiene en representación imaginativa la multiplicidad humana" (*op. cit.* pág. 179).

(21) "Con Pedro-Nicolás —interpreta Casalduero— vemos la esencia de la comedia: abarcar todas las formas de la vida" (*op. cit.* pág. 190).

len de su boca en forma de palabras estropeadas y corregidas por el escribano Redondo nos traen a la memoria el entremés de Cervantes *La elección de los alcaldes de Daganzo.*

Asesorado durante la audiencia por su criado Pedro, el alcalde Crespo emite graciosos juicios de origen popular que hacen recordar a Sancho Panza en la Insula Barataria. Crespo tiene también la oportunidad de "estrenar" su simplicidad al contar al rey cómo los pajes de éste le han "sobajado" los danzadores, describiendo cómicamente la persecución de estos mozos vestidos de doncellas (22) y el aspecto ridículo y lamentable de un tal Mostrenco molido a palos.

Belica - Isabel.

> *"¿Por qué a una pobre gitana*
> *diste ricos pensamientos?*
> Jorn. I, vv. 1069-71

Además de los personajes episódicos como el alcalde Crespo, aparece junto a la figura central de Pedro de Urdemalas, permanentemente unida a la acción, la "gitana" Belica, destacándose también Maldonado, "conde de gitanos". *Belica,* nombre que le dió la "gitana sabia", es de origen desconocido, como Pedro, con quien no quiere casarse, porque tiene la cabeza ("cascos vacíos) llena de "sueños", la "fantasías", altas pretensiones. Sin embargo, estas mismas fantasías y ensueños le unen a él:

Maldonado:

> *veo que esta gitanilla,*
> *cuanto su estado la humilla,*
> *tanto más levanta el vuelo*
> *y aspira a tocar el cielo*
> *con locura y maravilla.*
> (vv. 1590-95)

---

(22) Vestidos de doncellas, serranas, "porque invenciones noveles, / o admiran, o hacen reir" (vv. 1306-8).

Pedro:

> *Déjala, que muy bien hace,*
> *y no la estimes en menos*
>
> ....
>
> *Yo también, que soy leño,*
> *príncipe y papa me sueño,*
> *emperador y monarca,*
> *y aun mi fantasía abarca*
> *de todo el mundo a ser dueño;*
>
> (vv. 1595-1605)

Esta gitanica que parece ser de elevado origen —acaso reina o princesa— destaca por su fineza, aunque también por su ingratitud al final de la comedia, cuando se descubre su origen:

Inés.—

> *Haz algún bien, pues podrás,*
> *a nuestros gitanos pobres*
>
> (vv. 2652-54)

Belica.—

> *Dame, Inés, un memorial*
> *que yo le despacharé*
>
> (2658-60)

Se dice que esta parte de la comedia se parece a *La gitanilla* (23) debido a la presencia de Belica, gitanos, Mal-

------

(23) "Los dramas de Cervantes se parecen mucho a novelas dialogadas. El maestro del narrar y del escribir no puede disimularse en la escena, y las figuras de sus historias en prosa no le abandonan ni cuando trabaja en el manuscrito de sus dramas . . . *Pedro de Urdemalas* procede de la sociedad de *La Gitanilla* . . ." Ludwig Pfandl, *Historia de la Literatura Nacional Española en la Edad de Oro* (Barcelona: Gustavo Gili 1952), pág. 127. Existe paralelismo de asuntos y pasajes entre *Tratos de Argel* — *El amante Liberal; Baños de Argel* — *El Cautivo; Pedro de Urdemalas* — *La gitanilla* y *El rufián dichoso* y *Rinconete y Cortadillo.*

donado,"conde de gitanos" y otros detalles. En ambas se encuentra el fenómeno del anagnórisis. Hacia el final de *La gitanilla* se descubre el origen noble de la gitanica Preciosa —Constanza, y en la comedia, que contiene una proporción mayor de fantasía, un caballero anciano, Marcelo, narra "la extraña historia", es decir lo relativo al origen de Belica— Isabel, en romance (o-a, vv. 2392-2551). Belica es elevada al rango de princesa de la corte, (24) siendo hija de Rosamiro, hermano de la reina, y de la duquesa Félix Alba. Desde antes del descubrimiento, ambas "gitanas", Belica y Preciosa, han descollado por su belleza, donaire y discreción; además, cantan y bailan a maravillas:

> *"salió la tal Preciosa la más única bailadora que se hallaba en todo el gitanismo".* (La gitanilla).

Rey.—

> *Gitana tan entendida*
> *muy pocas veces se ve.*

(vv. 1655-57)

Maldonado.—

> *Pero Belica es extremo*
> *de donaire, brío y gala.*

(vv. 2007-9)

---

(24) Pedro, postrado a los pies de *Isabel,* (Belica ya vestida de dama) le dice:

> *Tu presunción y la mía*
> *han llegado a conclusión:*
> *la mía sólo en ficción,*
> *la tuya como debía.*

(vv. 3032-35)

"Pedro, que en esta obra ha hecho la figura del embustero, nos da la esencia de la comedia como desenlace . . ." (Casalduero, *op. cit.* pág. 190).)

Maldonado, "conde de gitanos"

"........................... *nueztra vida*
ez zuelta, libre, curiosa,"

Jorn. I, vv. 550-52

Maldonado, "conde de gitanos", le describe a Pedro la vida gitanesca, (25) su libertad exaltada, de manera similar a como lo hace en *La gitanilla* el viejo gitano a don Juan antes de que éste se haga Andrés —gitano, guiado por su amor a Preciosa. Tanto el elogio de esta vida, por boca de Maldonado, como el ambiente de los gitanos, nos hacen recordar, además de *La gitanilla, El coloquio de los perros.* Este amor a la libertad es una de las notas características del gitano y ello queda bien ilustrado cuando se hace del gitano una figura teatral. Naturalmente, no han de faltar el ceceo (26) y la lectura de la suerte.

Los reyes.

"*Bailan las gitanas;*
míralas el rey;"

Jorn. III (vv. 2980-82

El rey entra en escena como rey cazador, pero, sobre-

---

(25) El asunto gitano tiene extenso desarrollo en las obras de Cervantes. Además de las novelas citadas, Ginés Pasamonte, en el *Quijote,* es afín al tipo gitano: "el cual, por no ser conocido y por vender el asno, se había puesto un traje de gitano, cuya lengua y otras muchas sabía muy bien hablar como si fueran naturales suyas". Citado por Arco y Garay, *op. cit.* pág. 674. Según Rodríguez Marín (Ed. *El coloquio de los perros,* Cl. Cast. pág. 343) Cervantes no conoció bien las costumbres de los gitanos, porque no vivió con ellos y lo que narra es más bien obra de lo oído que de lo presenciado" (citado por Arco y Garay, *ibid).*

(26) Cervantes lo acota en la jornada primera de *Pedro de Urdemalas.* En *La gitanilla:* "Ceñores, dijo Preciosa que, como gitana, hablaba ceceoso, y esto es artificioso en ellas, que no naturaleza".

cogido por la belleza de Belica, lo vemos comportarse como enamorado, loca y ridículamente de esta gitana, a expensas de su dignidad real:

Rey.—

> Que tiemble de una gitana
> un rey, ¡qué gran poquedad!

(vv. 1963-65)

Belica, a su vez, al verlo, se enamora de su "sueño". El encuentro del rey con la gitana evoca el tema tradicional del ciervo herido y el cazador. Dice Belica: "que el amor y el cazador siguen un mismo tenor" (vv. 1642-44). Ambos tienen miedo de los celos de la reina, la cual tiene para el rey "de lince los ojos". Empieza la danza —las danzas fueron muy del agrado de Cervantes— y Belica tropieza y cae en brazos del rey, el cual la ayuda a alzarse, y la reina, al ver que con la mano le da el alma también, comenta:

> ¡Bien su majestad lo allana,
> y la postra por el suelo,
> pues levanta hasta su cielo
> una caída gitana!

(vv. 2019-22)

Los celos de la reina se transforman en ira y persecución de los gitanos.

Los pastores.

> "Pues sabes que soy pastor,
> entona más bajo el punto,
> habla con menos primor".
> Jorn. I, vv. 41-44.

Hay elementos pastoriles en tres comedias cervantinas: *La casa de los celos, El laberinto de amor* y *Pedro de Urdemalas.* En nuestra comedia hay dos parejas de pastora y pastor —Clemencia y Clemente, Benita y Pascual. Las expresiones de estas parejas distan, como ha señalado Tamayo, (27) tanto de la rusticidad característica de los pastores de la escuela de Juan del Encina, como de la delicadeza de los de *La Galatea*. La intención de Cervantes de no presentar en esta comedia pastores que sin ser cultos y refinados, no aparezcan tampoco toscos y groseros, es de notarse en la escena en que Pascual pondera su amor hacia Benita.

Son inolvidables los bellos versos que recita este pastor enamorado a su pastora:

> *Los álamos de aquel río,*
> *que con el cuchillo mío*
> *tienen grabado tu nombre.*

(vv. 883-86)

La frescura y fragancia presentes en tantos versos de *Peribáñez* no faltan en la poesía de nuestro resentido dramaturgo, en boca del propio Pascual:

> *¿Qué almendro, guindo o manzano*
> *has visto tú que se viese*
> *en dar su fruto temprano,*
> *que por la mía no fuese*
> *traído a tu bella mano*
> *antes que las mismas aves*
> *lo tocasen?*

(vv. 898-904)

—Los que parecen como ejemplos de rusticidad en nuestra comedia —continúa Tamayo— son los aldeanos, como el alcalde Crespo y los regidores Sancho Macho y Diego Tarugo. Se nota, también, que los pastores en *Pedro de Urdemalas,* a diferencia de la otra comedia de Cervantes *La casa de los celos,* no adoptan los nombres convencionales de la época. Se llaman Clemente, Clemencia, Pascual y Benita.—

---

(27) Juan Antonio Tamayo, *Los pastores de Cervantes* en *RFE*, Madrid, 1948, **XXXII**.

La fecha de composición y la versificación.

La comedia *Pedro de Urdemalas* corresponde a los últimos años de Cervantes y se supone escrita hacia 1610-11. La versificación es excelente, mostrando una mayor cantidad de versos cortos, especialmente en redondillas, quintillas y romances. La obra tiene mucho movimiento y gran variedad de versificación; es de notarse una gradual adaptación a las fórmulas polimétricas del temible rival: Lope de Vega. También es evidente un aumento constante en las dimensiones de su producción. Hay una diferencia de 546 versos entre su primera obra, *Los tratos de Argel* (2.534) y la última, *Pedro de Urdemalas* (3.180).

Nuestra edición.

Hemos tomado como base la edición de don Francisco Yndurain (BAE: Madrid, 1962); para la ortografía hemos seguido la edición moderna de Angel Valbuena Prat (Aguilar: Madrid, 1956). Hemos corregido errores tipográficos de la ed. de Valbuena (p.ej. ambozados, por embozados; Amaro por amor; calsín por malsín), y señalado con asterisco las diferencias con el texto básico.

No pudimos prescindir de la edición de Rudolph Schevill y Adolfo Bonilla (*Obras completas* de M. de Cervantes, *Comedias y entremeses* —tomo III especialmente— La edición de Schevill y Bonilla nos ha resultado útil para la versificación, cuyo esquema reproducimos, pero tuvimos que añadir la enumeración de los versos para facilitar el uso docente. No menos útil resultó la misma edición por sus numerosas anotaciones, que, cuando tomadas, señalamos con la abreviatura Sch. y B.

Bibliografía.

Cervantes Saavedra, Miguel de *Obras dramáticas.* Estudio preliminar y edición de don Francisco Yndurain, vol. II: Biblioteca de autores españoles, Madrid, 1962.

Schevill, Rudolph y Bonilla, Adolfo. *Obras completas. Comedias y entremeses,* vol. III. Madrid, 1918 y vol. VI. Madrid, 1922.

Valbuena y Prat, Angel. *Obras completas de Miguel de Cervantes.* Madrid: Aguilar, 1956.

Casalduero, Joaquín. *Sentido y forma del teatro de Cervantes,* Madrid: Aguilar, 1951.

Cotarelo y Mori, Emilio, *Efemérides cervantinas.* Madrid, 1905.

Cotarelo y Valledor, Arm. *El teatro de Cervantes, estudio crítico.* Madrid, 1915.

Juliá Martínez, Eduardo. *"Estudio y técnica de las comedias de Cervantes",* RFE, XXXII (1948), 339-365.

Cervantes Saavedra, Miguel de. *La Numancia.* Edición, prólogo y notas. Francisco Yndurain, Madrid: Aguilar, 1964.

Del Arco y Garay, Ricardo. *La sociedad española en las obras de Cervantes.* Madrid, 1951.

Pfandl, Ludwing, *Historia de la literatura española en la Edad de Oro.* Barcelona: Gustavo Gili, 1952.

Tamayo, Juan Antonio. *"Los pastores de Cervantes",* RFE. XXXII (1948), 396-398.

Chaytor, H. J. *Dramatic Theory in Spain,* Cambridge, England: Cambridge University Press, 1925.

Agostini del Río, Amelia. "El teatro cómico de Cervantes", *Boletín de la Real Academia Española,* Mayo-Agosto, 1964, págs. 223-307 (cont.).

Juicios sobre la comedia Pedro de Urdemalas.

"Esta comedia es la más sugestiva y animada de Cervantes y ha conseguido los mayores y unánimes elogios de la crítica. Pertenece a un género no usual en el Teatro español, y que puede apellidarse *picaresco*". (Angel Valbuena Prat, pág. 497).

"En *Pedro de Urdemalas* hay para mí una inagotable riqueza temática. Es la forma más original, en nuestro drama, (de interpretar el tema picaresco sin perderse por eso más elevados horizontes") (Ibid, pág. 498).

"Los motivos de *la noche de San Juan* ofrecen ironía, encanto y ágiles muestras de poesía. Sus cantos y supersticiones hacen el efecto, en bella interpretación cervantina, de nuestro diverso y meridional *Midsummernight's Dream*. Música de sonajas y gaita zamorana en nuestra obra, ramos y cantarcillos, alusivos a amantes y a la noche del Santo Precursor:

> *Niña, la que esperas*
> *en reja o balcón,*
> *advierte que viene*
> *tu polido amor.*

Las escenas de gitanos y de picardías alternan con delicadas escenas de Corte, y en todo vibra una constantemente inspirada y galana versificación. Klein compara esta comedia a "una bulliciosa víspera de bodas"; Armando Cotarelo dice de ella que "el repiqueteo de las castañuelas de Belica no cesa de oírse hasta mucho después de haber llegado al final". (*Ibid.*)

"La ingeniosidad va acompañada de la gracia en la acción y en el diálogo, características que se mantienen durante las tres jornadas". (Casalduero, pág. 176).

"Tomada la comedia como un puro juego, y no es otra su intención, se presta a gran lucimiento de actores y presentación. No es de extrañar, pues, que sea ésta una de las comedias cervantinas que más se representan hoy, y aun fuera de España". (Yndurain,*Obras de Cervantes, BAE,* pág. XLIX).

De Cervantes, el más grande de los dramáticos prelopistas, perviven: la épica *Numancia* . . . y tres comedias . . . *Los baños de Argel* . . . *El rufián* . . . y *Pedro de Urdemalas,* la mejor teatralización de la vida picaresca en España". Tirso de Molina, *Obras dramáticas completas,* ed. crítica por Blanca de los Ríos, I (Madrid: Aguilar, 1946) (pág. 960-61).

". . . en un mundo de ilusiones, podrá ser a la vez duque, príncipe, papa o rey. . . Cervantes ha intuído un poco *prepirandellianamente* este orden de ilusión del *gran mundo del Teatro,* concepto inverso al del *gran teatro del mundo* tradicional y calderoniano. Algo semejante al sueño —vida de Grillparzer, frente a la vida— sueño.

Las escenas de los ensayos de comedias ante el público, con el autor con sus papeles y dos actores, hacen pensar en una forma del *Teatro en el teatro,* así como en las palabras finales de la obra, que suscitan una vez más el recuerdo anunciante de Pirandello". (Angel Valbuena Prat, pág. 498).

CLASIFICACION DEL TEATRO DE CERVANTES

Comedias

Teatro heroico nacional:
> *La Numancia* o *El cerco de Numancia.*

Comedias de cautivos:
> *El trato de Argel, El gallardo español,*
> *Los baños de Argel, La gran sultana.*

Comedias caballerescas:
> *La casa de los celos, El laberinto de amor.*

Comedia de capa y espada:
La entretenida.

Comedia de santos:
El rufián dichoso.

Comedia picaresca:
Pedro de Urdemalas.

Pedro de Urdemalas
La versificación

Jornada Primera

Jornada Segunda

MIGUEL DE CERVANTES SAAVEDRA

COMEDIA FAMOSA
DE
PEDRO DE URDEMALAS

MIGUEL DE CERVANTES SAAVEDRA

Comedia famosa de

PEDRO DE URDEMALAS

Los que hablan en ella son los siguientes:

Pedro de Urdemalas.

Clemente, zagal.

Clemencia y *Benita,* zagalas.

Crespo, alcalde, padre de Clemencia.

Sancho Macho y *Diego Tarugo,* regidores.

Lagartija y *Hornachuelos,* labradores.

Redondo, escribano.

Pascual.

Un Sacristán.

Maldonado, conde de gitanos.

Músicos.

Inés y *Belica,* gitanas.

Una *Viuda,* labradora.

Un *Labrador,* que la lleva de la mano.

Un *Ciego.*

El *Rey.*

Silerio.

Un *Criado* del Rey.

Un *Alguacil.*

La *Reina.*

Mostrenco.

Marcelo, caballero.

Dos *Representantes,* con su autor.

Un *Labrador.*

Otros tres *Farsantes.*

Alguacil de comedias.

JORNADA PRIMERA

1) Salen* *Pedro de Urdemalas* en hábito de mozo de labrador, y *Clemente,* como zagal.

Clemente

> De tu ingenio, Pedro amigo,
> y nuestra amistad se puede
> fiar más de lo que digo,
> porque él al mayor excede,
> 5 y de ella el mundo es testigo;
> así, que es de calidad
> tu ingenio y nuestra amistad,
> que, sin buscar otro medio,
> en ambos pongo el remedio
> 10 de toda mi enfermedad.
> Esa hija de tu amo,
> la que se llama Clemencia,
> a quien yo Justicia llamo,
> la que huye mi presencia,
> 15 cual del cazador el gamo;
> ésa, a quien Naturaleza
> dió el extremo de belleza
> que has visto, me tiene tal,
> que llega al punto mi mal
> 20 do [1] llega el de su lindeza.
> Cuando pensé que ya estaba
> algo crédula al cuidado
> que en mis ansias le mostraba,
> yo no sé quién le* ha trocado

---

1 *Do* — donde.

25 de cordera en tigre brava, [2]
    ni sé yo por qué mentiras
    sus mansedumbres en iras
    ha vuelto, ni sé, ¡oh Amor!,
    por qué con tanto rigor
30 contra mí tus flechas tiras.
    Bobear, dime, en efeto, [3]
    lo que quieres.

Clemente.

    Pedro hermano,
    que me libres de este aprieto
    con algún consejo sano
35 o ayuda de hombre discreto.

Pedro.

    ¿Han llegado tus deseos
    a más que dulces floreos,
    o has tocado en el lugar
    donde Amor suele fundar
40 el centro de sus empleos?

Clemente.

    —Pues sabes que soy pastor,
    entona más bajo el punto,
    habla con menos primor.

Pedro.

    Que si eres, te pregunto,

---

2 *Tigre brava* — Comp. *"Una tigre* seré *brava/*contra el cauto
   cazador". Mira de Amescua, *El esclavo del demonio* (II,
   v. 45). El uso clásico de aplicar el artículo masculino o fe-
   menino según el sexo. *Tigre.* La forma masculina sirve para
   designar al macho y a la hembra: *el tigre.* Si se quiere dis-
   tinguir el sexo es necesario decir: *el tigre macho* y *el tigre
   hembra.* Sin embargo, puede aplicarse el mencionado uso
   clásico.

3 *Efeto* — Era corriente simplificar la pronunciación supri-
   miendo consonantes finales. En "efeto", como en "aspeto"
   (v. 1502), se reduce el grupo consonántico *ct.*

Clemente.

45 Amadís o Galaor. [4]

No soy sino Antón Clemente,
y andas, Pedro, impertinente
en hablar por tal camino.

Pedro.

Pan por pan, vino por vino.
50 se ha de hablar con esta gente.
¿Haste visto con Clemencia
a solas o en parte oscura,
donde ella te dió licencia
de alguna desenvoltura
55 que encargase la conciencia?

Clemente.

Pedro, el Cielo me confunda,
y la tierra aquí se hunda,
y el aire jamás me aliente,
si no es un amor decente
60 en quien el mío se funda.
Del padre el rico caudal
el mío pobre desprecia
por no ser al suyo igual,
y entiendo que sólo precia,
65 el de Llorente y Pascual,
que son ricos, y es razón
que se lleve el corazón
tras sí de cualquier mujer,
no el querer, sino el tener
70 del oro la posesión.
Y, además de esto, Clemencia
a mi amor no corresponde
por no sé qué impertinencia
que le han dicho, y así esconde

---

4 *Amadís o Galaor* — *Amadís*, héroe caballeresco, descuella
por su puntualidad y castidad en sus citas con Oriana, a
diferencia de su hermano *Galaor*, que es menos modelo en
sus relaciones con las damas.

75 de mi ojos su presencia;
    y si tú, Pedro, no haces
    de nuestras riñas las paces,
    ya por perdido me cuento.

Pedro.

    O no tendré entendimiento,
80 o he de trazar tus solaces.
    Si sale, como imagino,
    hoy mi amo por alcalde,
    te digo, como adivino,
    que hoy no te trajo de balde
85 a hablar conmigo el Destino.
    Tú verás cómo te entrego
    en holganza y en sosiego
    el bien que interés te veda,
    y que al dártele proceda
90 promesa, dádiva y ruego.
    Y, en tanto que esto se traza,
    vuelve los ojos y mira
    los lazos con que te enlaza
    Amor, y por quién suspira
95 Febo, 5 que allí se disfraza;
    mira a los rubios cabellos
    de Clemencia, y mira entre ellos
    al lascivo Amor jugando,
    y cómo se va admirando
100 por ver que se mira en ellos.
    Benita viene con ella,
    su prima, cual si viniese
    con el Sol alguna estrella
    que no menos luz nos diese
105 que el mismo Sol; tal es ella.
    Clemente, ten advertencia
    que, si llega aquí Clemencia,
    te le humilles; yo a Benita,
    como a una cosa bendita

_____

5 *Febo* — Nombre de Apolo como dios de la luz.

110   le pienso hacer reverencia.
Dile con lengua curiosa
cosas de que no disguste,
y ten por cierta una cosa:
que no hay mujer que no guste
115   de oírse llamar hermosa.
Liberal de esta moneda
te muestra; no tenga queda [6]
la lengua en sus alabanzas;
verás volver las mudanzas
120   de la varïable [7] rueda.

Salen* *Clemencia y Benita,* zagalas, con sus cantarillas, como que van a la fuente.

Benita.

    ¿Por qué te vuelves, Clemencia?

Clemencia.

    ¿Por qué me vuelvo, Benita?
Por no verme en la presencia
de quien la salud me quita
125   y me da mortal dolencia;
por no ver a un insolente [8]
que tiene bien diferente
de la condición el nombre.

Benita.

    Apostaré que es el hombre
130   por quien lo dices Clemente.

Clemente.

    ¿Soy basilisco, [9] pastora,
o soy alguna fantasma
que se aparece a deshora,
con que el sentido se pasma
135   y el ánimo se empeora?

---

6 *No tenga queda* — Descanso.
7 *Variable* — Diéresis (*vïuda,* v. 2.163).
8 Nótese el juego de palabras: Clemente, inclemente, insolente. Antes (vv. 12-13): Clemencia — Justicia.
9 *Basilisco* — Animal fabuloso al que se atribuía la propiedad de matar con la vista.

Clemencia.

No eres sino un parlero,
adulador, lisonjero
y, sin porqué* jactancioso,
en verdades mentiroso
140 y en mentiras verdadero.
¿Cuándo te he dado yo prenda
que de mi amor te asegure
tanto, que claro se entienda
que, aunque el amor me procure,
145 no hayas temor que te ofenda?
Esto dijiste a Jacinta,
y le mostraste una cinta
encarnada que te di,
y en su rostro se ve aquí
150 aquesta verdad distinta.

Clemente.

Clemencia, si yo he dicho cosa alguna
que no vaya a servirte encaminada,
venga de la más próspera fortuna
a la más abatida y desastrada;
155 si siempre sobre el cerco de la Luna
no has sido por mi lengua levantada,
cuando quiera decirte mi querella,
mudo silencio el Cielo infunda en ella;
si mostré tal, la fe en que yo pensaba,
160 por la ley amorosa, de salvarme,
cuando a la vida el término se acaba,
por ella entonces venga a condenarme;
si dije tal, jamás halle en su aljaba
flechas de plomo Amor con que tirarme,
165 si no es a ti, y a mí con las doradas,
a helarte y abrasarme encaminadas.

Pedro.

Clemencia, tu padre viene,
y con la vara de alcalde.

Clemencia.

No la ha alcanzado de balde;

— 43 —

170 que su salmorejo [10] tiene.
Hermano Clemente, adiós.

Clemente.

¿Pues cómo quedamos?

Clemencia.

Bien.
Benita, si quieres, ven.

Benita.

175 Sí, pues venimos las dos.

Entranse *Benita* y *Clemencia.*

Pedro.

Vete en buen hora, Clemente,
y quédese el cargo a mí
de lo que he de hacer por ti.

Clemente.

Adiós, [11] pues.

Pedro.

El te contente.

Salen *Martín Crespo,* alcalde, padre de Clemencia, y *Sancho Macho* y *Diego Tarugo,* regidores.

Tarugo.

Plácenos, Martín Crespo, del suceso.
180 Desechéisla por otra de brocado,
sin que jamás un voto os salga avieso, [12]

Alcalde.

Diego Tarugo, lo que me ha costado
aquesta vara, sólo Dios lo sabe,

---

10 *Salmorejo* — Salsa de vinagre y aceite (comp. vv. 182-4; 190).
11 *Adiós* — Sobreentendido: te encomiendo a Dios. Sch. y B.; BAE: *A Dios.* Comp. Si yo pudiere venir,
vendré a la noche, y adiós.
—El vaya, señor, con vos.
(Calderón, *El médico de su honra,* II, vv. 381-84).
12 *Voto avieso* — palabra vulgar.

y mi vino, y capones, y ganado.
185 El que no te conoce, ése te alabe,
deseo de mandar.

Sancho.

Yo aquesto digo,
que sé que en él todo cuidado cabe.
Véala yo en poder de mi enemigo,
vara que es por presentes adquirida.

Alcalde.

190 Pues ahora la tiene un vuestro amigo.

Sancho.

De vos, Crespo, será tan bien regida,
que no la doble dádiva ni ruego.

Alcalde.

No, ¡juro a mí!, mientras tuviere vida.
Cuando mujer me informe, estaré ciego;
195 al ruego del hidalgo, sordo y mudo,
que a la severidad todo me entrego.

Tarugo.

Yo veo en vuestro tiempo, y no lo dudo,
sentencias de Salmón, [13] el rey discreto,
que el niño dividió con hierro agudo.

Alcalde.

200 Al menos, de mi parte yo prometo
de arrimarme a la ley en cuanto pueda,
sin alterar un mínimo discreto,*

Sancho.

Como yo lo deseo, así suceda.
Y adiós.

Alcalde.

Fortuna os tenga, Sancho Macho,
205 en la empinada cumbre de su rueda.

Tarugo.

Sin que el temor o amor os ponga empa-
[cho,

---

13 *Sentencias de Salmón... con hierro agudo* — I Reyes 3:16-
28. En realidad sólo amenazó con dividir al niño entre las
dos madres.

juzgad, Crespo, terrible y brevemente:
que la tardanza en toda cosa tacho.
Y adiós quedad.

Alcalde.

En fin, sois buen pariente.

Entranse *Sancho Macho* y *Diego Tarugo*.

210 Pedro, que escuchando estás,
¿cómo de mi buen suceso
el parabién no me das?
Ya soy alcalde, y confieso
que lo seré por demás
215 si tú no me das favor
y muestras algún primor
con que juzgue rectamente:
que te tengo por prudente,
más que a un cura y a un doctor.

Pedro.

220 Es aquesto tan verdad,
cual lo dirá la experiencia,
porque con facilidad
luego os mostraré una ciencia
que os dé nombre y calidad.
225 Llegaraos Licurgo [14] apenas,
y la celebrada Atenas
callará sus doctas leyes;
envidiaros han los reyes
y las escuelas más buenas.
230 Yo os meteré en la capilla
dos docenas de sentencias
que al mundo den maravilla,
todas con sus diferencias,
civiles, o de rencilla;
235 y la que primero [15] a mano

---

14 *Licurgo* — Famoso legislador espartano; fig. astuto; legislador.
15 *Primero* — adv. primeramente.

	os viniere, está bien llano [16]
	que no ha de haber más que ver.
Alcalde.	
	Desde hoy más, Pedro, has de ser
	no mi mozo, mas mi hermano.
240	Ven, y mostrarásme el modo
	cómo yo ponga en efecto
	lo que has dicho, en parte o todo.
Pedro.	
	Pues más cosas te prometo.
Alcalde.	
	A cualquiera me acomodo.

Entranse el *Alcalde* y *Pedro,* y salen otra vez *Sancho Macho*
y *Tarugo*

Sancho.

245 Mirad, Tarugo: bien siento
que, aunque el parabién le distes
a Crespo de su contento,
otro paramal tuvistes
guardado en el pensamiento;
250 porque, en efeto, es mancilla
que se rija aquesta villa
por la persona más necia
que hay desde Flandes a Grecia
y desde Egipto a Castilla.

*aparentemente
fiel al
alcalde*

Tarugo.

255 Hoy mostrará la experiencia,
buen regidor Sancho Macho,
adónde llega la ciencia
de Crespo, a quien yo no tacho
hasta la primera audiencia;
260 y pues ahora ha de ser,
soy, Macho, de parecer
que le oigamos.

---

16 *Está llano* — está claro.

Sancho.

Sea así;
aunque tengo para mí
que un simple en él se ha de ver.

Salen *Lagartija* y *Hornachuelos,* labradores

Hornachuelos

265 ¿De quién, señores, sabremos
si el alcalde en casa está?

Tarugo.

Aquí los dos le atendemos.

Lagartija

Señal es que aquí saldrá.

Sancho.

Tan cierta, que ya le vemos.

Salen el *Alcalde* y *Redondo, escribano,* y *Pedro*

Alcalde

270 ¡Oh valientes regidores!

Redondo

Siéntense vuesas mercedes.

Alcalde

Sin ceremonias, señores.

Tarugo

En cortés, exceder puedes
a los corteses mayores.

Alcalde

275 Siéntese* aquí el escribano,
y a mi izquierda y diestra mano
los regidores estén;
y tú, Pedro, estarás bien
a mis espaldas.

Pedro.

Es llano.

280 Aquí, en tu capilla, están
las sentencias suficientes

a cuantos pleitos vendrán,
aunque nunca pares mientes [17]
a la relación que harán;
285 y si alguna no estuviere,
a tu asesor te refiere,
que yo lo seré de modo
que te saque bien del todo,
y sea lo que se fuere.

Redondo

290 ¿Quieren algo, señores?

Lagartija

Sí querríamos.

Redondo

Pues digan: que aquí está el señor alcal-
[de,
que les hará justicia rectamente.

Alcalde

Perdónemelo Dios lo que ahora digo,
y no me sea tomado por soberbia:
295 tan tiesamente* pienso hacer justicia,
como si fuese un soñador *[18] romano.

Redondo

Senador, Martín Crespo.

Alcalde

Allá va todo. [19]
Digan su pleito apriesa y brevemente:
que apenas me le habrán dicho, en mi
[ánima,
300 cuando les dé sentencia rota y justa.

Redondo

Recta, señor alcalde.

Alcalde

Allá va todo.

---

17 *Pares mientes* — *Parar o poner mientes* en una cosa: con-
siderarla, meditar sobre ella.
18 *Soñador* por *senador* — Palabras estropeadas como fuente
de comicidad. Sigue *rota* por *recta,* etc.
19 *Allá va todo* — da igual.

Hornachuelos

Prestóme Lagartija tres reales,
volvíle dos, la deuda queda en uno,
y él dice que le debo cuatro justos.
305 Este es el pleito. Brevedad, y dije.
¿Es aquesto verdad, buen Lagartija?

Lagartija

Verdad; pero yo hallo por mi cuenta,
o que yo soy un asno, o que Hornachue-
[los
me queda a deber cuatro.

Alcalde

¡Bravo caso!

Lagartija

310 No hay más en nuestro pleito y me re-
[zumo
en lo que sentenciare el señor Crespo.

Redondo

Rezumo por resumo, allá va todo.

Alcalde

¿Qué decís vos a esto, Hornachuelos?

Hornachuelos

No hay qué decir; yo en todo me arre-
[meto
al señor Martín Crespo.

Redondo

315 Me remito,
¡pese a mi abuelo! [20]

Alcalde

Dejad[le] que arremeta;
¿qué se os da a vos, Redondo?

Redondo

A mí, no, nada.

Alcalde

Pedro, sácame, amigo, una sentencia
de esa capilla: la que está más cerca.

---

[20] *pese a...*: que mi abuelo me perdone.

Redondo

320 ¿Antes de ver el pleito hay ya senten-
[cia?

Alcalde

Ahí se podrá ver quién es Callejas. [21]

Pedro

Léase esta sentencia, y punto en boca.

Redondo

En el pleito que tratan .N. y .F...

Pedro

Zutano con Fulano significan
325 la .N. con la .F. entre dos puntos.

Redondo

Así es verdad. Y digo que "en el pleito
que trata este Fulano con Zutano,
que debo condenar, fallo y condeno
al dicho puerco de Zutano a muerte,
330 porque fue matador de la criatura
del ya dicho Fulano . . ." Yo no atino
qué disparate es este de este puerco
y de tantos Fulanos y Zutanos,
ni sé cómo es posible que esto cuadre
335 ni esquine [22] con el pleito de estos hom-
[bres.

Alcalde

Redondo está en lo cierto, Pedro ami-
[go,
mete la mano y saca otra sentencia;
podría ser que fuese de provecho.

Pedro

Yo, que soy asesor vuestro, me atrevo
340 de dar sentencia luego cual convenga.

---

21 *Quién es Callejas* — La expresión popular *se verá quien fue
Callejas* se emplea como jactancia de autoridad o poder.
22 *Cuadre ni esquine* — Juego de vocablo: *cuadrar* ("confor-
marse una cosa con otra", y *"esquinar"* ("hacer esquina",
formar ángulo exterior"); *No le cuadra*: no le está bien, no
le agrada.

Lagartija

por mí, más que la de* un jumento
[nuevo.

Sancho.

Digo que el asesor es extremado.

Hornachuelos

Sentencia norabuena.

Alcalde

Pedro, vaya,
que en tu magín mi honra deposito.

Pedro

345 Deposite primero Hornachuelos,
para mí, el asesor, doce reales.

Hornachuelos

Pues sola la mitad importa el pleito.

Pedro

Así es verdad: que Lagartija, el bueno,
tres reales de a dos os dió prestados,
350 y de éstos le volviste dos sencillos;
y por aquesta cuenta debéis cuatro,
y no, cual decís vos, no más de uno.

Lagartija

Ello es así, sin que le falte cosa.

Hornachuelos

No lo puedo negar, vencido quedo,
355 y pagaré los doce con los cuatro.

Redondo

Ensúciome en Catón y en Justiniano, [23]
¡oh Pedro de Urde, montañés famoso!,
que así lo muestra el nombre y el in-
[genio.

Hornachuelos

Yo voy por el dinero, y voy corrido.

---

23 *Ensúciome* — expresión muy vulgar cuyo sentido es: tu sa-
biduría es superior a la de Catón, etc. *Catón — Justiniano.*
Catón: por alusión al romano de este nombre, célebre por la
austeridad de sus costumbres. *Justiniano*: emperador de este
nombre famoso por sus cuerpos legales.

Lagartija

360   Yo me contento con haber vencido.

Entranse *Lagartija* y *Hornachuelos,* y salen *Clemente* y
Clemencia, como pastor y pastora, embozados

Clemente

Permítase que hablemos embozados
ante tan justiciero ayuntamiento.

Alcalde

Mas que habléis en un costal atados;
porque a oír, y a no ver, aquí me siento.

Clemente

365   Los siglos que renombre de dorados
les dió la antigüedad con justo intento,
ya se ven en los nuestros, pues que vemos
en ellos de justicia los extremos.
Vemos un Crespo alcalde. . .

Alcalde

Dios os guarde.
370   Dejad aquesas lonjas a una parte. . .

Redondo

Lisonjas, decir quiso.

Alcalde

Y, porque es tarde,
de vuestro intento en breve nos dad par-
[te.

Clemente.

Con verdadera lengua, [24] cierto alarde
hace de lo que quiero parte a parte.

Alcalde

375   Decid: que ni soy sordo, ni lo he sido. [25]

Clemente.

Desde mis tiernos años,

---

[24] *Con verdadera lengua* — sinceramente. *Parte...:* total-
mente.
[25] *Sido* — Nótese la falta de un verso en —*ido* para terminar
la octava.

de mi fatal estrella conducido,
sin las nubes de engaños,
el sol que en este velo está escondido
380 miré para adorarle,
porque esto hizo el que llegó a mirarle.
Sus rayos se imprimieron
en lo mejor del alma, de tal modo,
que en sí la convirtieron:
385 todo soy fuego, yo soy fuego [26] todo,
y, con todo, me hielo,
si el sol me falta que me eclipsa un velo.
Grata correspondencia
tuvo mi justo y mi cabal deseo:
390 que Amor me dió licencia
a hacer de mi alma rico empleo;
en fin, esta pastora,
así como la adoro, ella me adora.
A hurto de su padre,
395 que es de su libertad duro tirano,
que ella no tiene madre,
de esposa me entregó la fe y la mano;
y ahora, temerosa
del padre, no confiesa ser mi esposa.
400 Teme que el padre, rico,
se afrente de mi humilde medianía,
porque hace el pellico
al monje [27] en esta edad de tiranía.
El me sobra en riqueza;
405 pero no en la que da Naturaleza.
Como él, yo soy tan bueno;
tan rico, no, y a su riqueza igualo
con estar siempre ajeno
de todo vicio perezoso y malo;

---

26 *Fuego — hielo.* Antítesis. Comp. "inmóvil bulto soy de fuego
    y hielo", Calderón, *La vida es sueño,* I.
27 *Porque hace el pellico/al monje en esta edad de tiranía.*
    El refrán dice: "No hace el hábito al monje".

410 y, entre buenos, es fuero
que valga la virtud más que el dinero.
Pido que ante ti vuelva
a confirmar el sí de ser mi esposa,
y en serlo se resuelva,
415 sin estar de su padre temerosa,
pues que no aparta el hombre
a los que Dios juntó en su gracia y nom-
[bre.

Alcalde

¿Qué respondéis a esto,
sol que entre nubes se escondió a des-
[hora?

Clemente.

420 Su proceder honesto
la tendrá muda, por mi mal, ahora;
pero señales puede
hacer con que su intento claro quede.

Alcalde

¿Sois su esposa, doncella?

Pedro.

425 la cabeza bajó: señal bien clara
que no lo niega ella.

Sancho.

Pues ¿en qué, Martín Crespo, se repara?

Alcalde

En que de mi capilla
se saque la sentencia, y en oilla. [28]
430 Pedro, sácala al punto.

Pedro.

Yo sé que ésta saldrá pintiparada, [29]
porque, a lo que barrunto,

---

28 *Oilla* — en aquel tiempo era frecuente la asimilación de la
r final del infinitivo a la *l* del pronombre enclítico.
29 *Pintiparada* — Muy a propósito. Comp. "Y ahora se me
ofrecen cuatro (refranes) que venían aquí *pintiparados,* o
como peras en tabaque..." Cervantes, *Quijote,* Cap. XLIII,
Segunda Parte.

siempre fue la verdad acreditada,
por atajo o rodeo;
435 y esta sentencia lo dirá que leo.

(Saca un papel de la capilla, y léelo Pedro).

Redondo

"Yo, Martín Crespo, alcalde, determino
que sea la pollina del pollino.

Vaso de suertes es vuestra capilla,
y ésta que ha sido ahora pronunciada,
440 aunque es para entre bestias, maravilla
y aun da muestras de ser cosa pensada.

Clemente

El alma en Dios, y en tierra la rodilla,
la vuestra besaré, como a extremada
columna * que sustenta el edificio
445 donde moran las ciencias y el juïcio.

Alcalde

Pues * que redundará esta sentencia,
hijo, en haberos dado el alma mía,
porque no es otra cosa mi Clemencia,
me fuera de gran gusto y alegría.
450 Y alégrenos ahora la presencia
vuestra, que está en razón y en cortesía,
pues ya lo desleído [30] y sentenciado
será, sin duda alguna, ejecutado.

Clemencia.

Pues, con ese seguro, padre mío,
455 el velo quito y a tus pies me postro.
Mal haces en usar de este desvío,
pues soy tu hija, y no espantable mons-
[truo.
Tú has dado la sentencia a tu albedrío,
y, si es injusta, es bien que te dé en
[rostro;

---

30 Desleído — aclarado.

Alcalde

460 pero, si justa es, haz que se apruebe,
con que a debida ejecución se lleve.

Lo que escribí, escribí; [31] bien dices, hi-
[ja;
y así, a Clemente admito por mi hijo,
y el mundo de este proceder colija
465 que más por ley que por pasión me ri-
[jo.

Sancho.

No hay alma aquí que no se regocija
de vuestro no pensado regocijo.

Tarugo.

Ni lengua que a Martín Crespo no ala-
[be
por hombre ingeniosísimo y que sabe.

Pedro

470 Nuestro amo, habéis de saber
que es merced particular
la que el Cielo quiere hacer
cuando se dispone a dar
al hombre buena mujer;
475 y corre el mismo partido
ella, si le da marido
que sea en todo varón,
afable de condición,
más que arrojado, sufrido.
480 De Clemencia y de Clemente
se hará una junta dichosa
que os alegre y os contente,
y quien lleve vuestra honrosa
estirpe de gente en gente,
485 y esta noche de San Juan
las bodas celebrarán,
con el suyo y vuestro gusto.

---

31 *Lo que escribí* — alusión a — "Quod scripsi, scripsi.", de
Pilatos.

Alcalde

Señales de hombre muy justo
todas tus cosas me dan;
490 pero la boda otro día
se hará: que es noche ocupada
de general alegría
aquésta.

Clemente

No importa nada,
siendo ya Clemencia mía:
495 que el gusto del corazón
consiste en la posesión
mucho más que en la esperanza.

Pedro

¡Oh, cuántas cosas alcanza *la misma idea que tiene Cipión*
la industria y sagacidad! [32]

Alcalde

500 Vamos, que hay mucho que hacer
esta noche.

Tarugo

Sea en buen hora.

Clemente

Ni qué esperar ni temer
me queda, pues por señora
y esposa te vengo a ver.

Tarugo

505 ¡Bien escogiste, Clemencia!

Clemencia

Al que ordenó la sentencia
las gracias se den, y al Cielo.

Pedro

De que he encargado, *distrust* recelo,
algún tanto mi conciencia.

---

32 *Sagacidad* — Para terminar la quintilla falta una palabra
consonante de "posesión" en lugar de "sagacidad".

2) Entranse todos, y, al entrarse, sale *Pascual,* y tira del sayo a *Pedro,* y quédanse los dos en escena, y tras *Pascual* entra un *Sacristán*

Pascual

Pedro amigo.

Pedro

510 ¿Qué hay, Pascual?
No pienses que me descuido
del remedio de tu mal;
antes, en él tanto cuido,
que casi no pienso en al. [33]

515 Esta noche de San Juan
ya tú sabes cómo están
del lugar las mozas todas
esperando de sus bodas
las señales que les dan

520 Benita, el cabello al viento,
y el pie en una bacía
llena de agua, y oído atento,
ha de esperar hasta el día
señal de su casamiento;

525 sé tú primero en nombrarte
en tu calle, de tal arte,
que claro entienda tu nombre. [34]

---

33 No pienso en *al* — Otro, otra cosa, lo demás.
34 *Que claro entienda tu nombre* — La fiesta de San Juan Bautista, que corresponde al 24 de junio, era popular en los países europeos y en España tanto entre moros como entre los cristianos. Los amoríos y superstición de este día, así como las canciones populares, pasan al teatro de la época. Lope de Vega escribió la bella comedia *La noche de San Juan.* Con los cabellos sueltos, Benita invoca a la noche de San Juan, según la superstición de que el primer nombre que oyese sería el de su prometido.

Pascual

Por excelencia, el renombre
de industrioso pueden darte.
530 Yo lo haré así; queda en paz;
mas, después de aquesto hecho,
tú lo que faltare haz,
|así no abrasa tu pecho
el fuego de aquel rapaz.

Pedro

535 Así será; ve con Dios.

Vase Pascual

Sacristán

Por ligero que seáis vos,
yo os saldré por el atajo,
y buscaré sin trabajo
la industria de ambos a dos.

*Entrase el Sacristán. Sale (Maldonado, conde de gitanos;)
y adviértase que todos los que hicieren figura de gitanos,
han de hablar ceceoso*

Maldonado

540 Pedro ceñor, Dioz te guarde.
¿Qué te haz hecho, que he venido
a buzcarte aquezta tarde,
por ver ci eztáz ya atrevido,
o todavía cobarde?
545 Quiero decir, ci te agrada
el cer nueztro camarada,
nueztro amigo y compañero,
como me haz dicho.

Pedro

Sí quiero.

Maldonado

¿Reparaz en algo?

Pedro

En nada.

550 Mira, Pedro: nueztra vida
ez zuelta, libre, curioza,
ancha, holgazana, extendida
a quien nunca falta coza
que el deceo buzque y pida.

555 Danoz el herbozo zuelo
lechoz; círvenoz el cielo
de pabellón dondequiera;
ni noz quema el zol, ni altera
el fiero rigor del yelo.

560 El máz cerrado vergel
laz primiciaz noz ofrece
de cuanto bueno haya en él;
y apenaz ce * ve * o parece
la albilla [35] o la mozcatel,

565 que no eztá luego en la mano
del atrevido gitano,
zahorí del fruto ajeno,
de induztria y ánimo lleno,
ágil, prezto, zuelto y zano.

570 Gozamos nueztros amorez
librez del dezazociego
que dan loz competidorez,
calentándonoz zu fuego
cin celoz y cin temorez.

575 Y ahora eztá una mochacha
que con nadie no ce empacha
en nueztro rancho, tan bella,
que no halla en qué ponella
la envidia ni aun una tacha.

580 Una gitana, hurtada,
la trajo; pero ella ez tal,
que, por hermoza y honrada,
—mueztra que ez de principal

---

35 *Albilla* — Especie de uva.

y rica gente engendrada. [36]

585 Ezta, Pedro, cerá tuya,
aunque máz el yugo huya,
que rinde la libertad,
cuando de nueztra amiztad
lo acordado ce concluya.

Pedro

590 Porque veas, Maldonado,
lo que me mueve el intento
a querer mudar de estado,
quiero que me estés atento
un rato.

Maldonado

De muy buen grado.

Pedro

595 Por lo que te he de contar,
vendrás en limpio a sacar
si para gitano soy.

Maldonado

Atento eztaré y eztoy;
bien puedez ya comenzar.

Pedro

600 Yo soy hijo de la piedra, [37]

---

36 *y rica gente engendrada* — Para la relación con el argumento de *La gitanilla* véase el Prólogo ("Belica-Isabel").

37 *Yo soy hijo de la piedra* — "*Niño de la piedra* vale expósito en el reino de Toledo: de una piedra que está en la Iglesia Mayor, donde vienen a echarlos". (*Covarrubias*). Tirso de Molina alude al nacimiento oscuro del conquistador Diego de Almagro diciendo en *La lealtad contra la envidia*: "ese *hijo de la piedra*/que más que ayuda engaña" Jorn. II, escena x); "mas quien *padres no conoce,*/como coyunturas goce,/palabras y leyes quiebra" (Jorn. II, escena XVIII). En *Amazonas en las Indias* insiste en el mismo tema:

    . . . .
    que España ignora quién es;
    pues a la puerta le echaron
    los padres que le engendraron,
    de la iglesia, y fue después
    hijo de la compasión
    de un sacerdote... (Jorn. I, escena v).

que padre no conocí:
desdicha de las mayores
que a un hombre pueden venir.
No sé dónde me criaron;
605 pero sé decir que fuí
de estos niños de doctrina [38]
sarnosos que hay por ahí.
Allí, con dieta y azotes,
que siempre sobran allí,
610 aprendí las oraciones
y a tener hambre aprendí;
aunque también con aquesto
supe leer y escribir,
y supe hurtar la limosna,
615 y disculparme y mentir.
No me contentó esta vida
cuando algo grande me vi,
y en un navío de flota
con todo mi cuerpo di,
620 donde serví de grumete,
y a las Indias fuí y volví,
vestido de pez y angeo, [39]
y sin un maravedí.
Temí con los huracanes,
625 y con las calmas temí,
y espantóme la Bermuda [40]
cuando su costa corrí.

---

38 Los *niños de* (la) *doctrina* — eran "pobrecitos huérfanos que
se recogen para doctrinallos y criallos" (*Covarrubias*) En
el *Quijote* (1615, cap. XXXV) Cervantes reprende a Sancho: "Pero hacer caso de tres mil y trescientos *azotes,* que
no hay *niño de la doctrina,* por ruin que sea, que se los lleve
cada mes..."; En *El rufián viudo,* entremés de Cervantes,
el criado Vademecum hablando de la fama del hampesco
baile Escarramán dice: "Y que eres sonado y más *mocoso/*
que un reloj y que un *niño de doctrina".*
39 *Anjeo* — Especie de lienzo basto.
40 *Bermuda* — Se refiere a las famosas tempestades que solían
correrse en sus costas.

Dejé de comer del bizcocho
con dos dedos de hollín,
630 y el beber vino del diablo
antes que de San Martín.
Pisé otra vez las riberas
del río * Guadalquivir,
y entreguéme a sus crecientes,
635 y a Sevilla me volví,
donde al rateruelo [41] oficio
me acomodé bajo y vil
de mozo de la esportilla,
que el tiempo lo pidió así;
640 en el cual, sin ser yo cura,
muy muchos diezmos cogí,
haciendo salva [42] a mil cosas
que me condenan aquí.
En fin, por cierta desgracia,
645 el oficio tuvo fin,
y comencé * el peligroso
que suelen llamar mandil. [43]
En él supe de la hampa
la vida larga y cerril,
650 formar pendencias del viento,
y con el soplo herir. [44]
Mi amo, que era tan bravo
como ligero pasquín,
dió asalto a una faltriquera.
655 a lo callado y sotil;
con las manos en la masa
le cogió un cierto alguacil,
y él quiso ser un* potro

---

41 *Rateruelo* — Ratero.

42 *Hacer salva* — Probar.

43 *Mandil* — criado de rufián o de *marca* (mujer pública). Voz de germanía.

44 *Con él soplo herir* — delatar, denunciar.

                    confesor, [45] y no martir; [46]
        660   mártir, digo, Maldonado.

Maldonado

                    En ezo, ¿qué me va a mí?
                    Pronunciad como oz dé guzto,
                    puez que no habláiz latín.

Pedro

                    Palme[ó]le las espaldas
        665   contra su gusto el bochín, [47]
                    de lo cual quedó mohíno,
                    según que dijo un malsín.
                    A las casas movedizas [48]
                    le llevaron, y yo vi
        670   arañarse la Escalanta [49]
                    y llorar la Becerril.
                    Yo, viéndome, sin el fieltro
                    de mi andaluz paladín,
                    de mandil a mochilero
        675   un salto forzoso di.
                    Deparóme la fortuna
                    un soldado espadachín
                    de los que van hasta el puerto,
                    y se vuelven desde allí.

---

45 *Potro confesor* — Aparato en el cual sentaban a los procesa-
dos para obligarles a declarar, "confesar", por medio de tormentos.

46 *Martir* — *mártir* — *Martir* por razón del romance en i. Luego, cuando no exige la asonancia: *mártir*.

47 *Bochín* — verdugo.

48 *Casas movedizas* — galeras.

49 la *Escalanta* — la *Becerril* — Nombres, o mejor dicho, alias
o apodos de mujeres de burdel y formados de los apellidos,
del lugar de origen, de condiciones personales o de cualquier otra circunstancia. En *Rinconete y Cortadillo* hay la
Escalanta, la Gananciosa, la Cariharta y la Pipota.

680 Las boletas rescatadas, [50]
las gallinas que cogí,
si no las perdona el Cielo,
¡desventurado de mí!
Dióme el rostro [51] aquella vida,
685 porque de ella conocí
que el soldado churrulero [52]
tiene en las gurapas fin,
y a gentil hombre de playa
en un punto me acogí,
690 vida de mil sobresaltos
y de contentos cien mil.
Mas, por temor de irme a Argel,
presto a Córdoba [53] me fuí,
adonde vendí aguardiente,
695 y naranjada vendí.
Allí el salario de un mes
en un día me bebí,
porque, si hay agua que sepa,
la ardiente es doctor sutil.

---

50 *Boletas rescatadas* — Cédula que se da a los militares cuando entran en un lugar para indicarles su alojamiento; "...notó Tomás... la solicitud de los aposentadores, la industria y cuenta de los pagadores, las quejas de los pueblos, el *rescatar de las boletas...*" Cervantes, *El licenciado Vidriera*. Se trata de las tretas de los soldados. "¡Oh cuántas veces tomábamos *boletas* para tres, y no era más de uno el que había de ir a la posada, y las demás las íbamos acomodando a veinte y cuatro reales". J. Alcalá Yáñez, *El Donado hablador*, Parte, I, cap. II en *La novela picaresca española*, ed. Angel Valbuena y Prat, Aguilar, 1956, pág. 1205.
51 *Dióme el rostro* — me abrió los ojos.
52 *Soldado churrullero* — *churrullero* es sinónimo de *churrillero*, que quiere decir muy hablador; "que habla mucho y sin substancia" (*Dicc. Acad.*) Hablando de los buenos y los malos poetas, Cervantes dice de éstos: "de los malos, de los *churrulleros*, ¿qué se ha de decir sino que son la idiotez y la ignorancia del mundo?" *El licenciado Vidriera*.
53 *Córdoba* — Recuérdese la novela de Salas Barbadillo, *El sutil cordobés Pedro de Urdemalas*.

700 Arrojárame mi amo
   con un trabuco de sí,
   y en casa de un asturiano
   por mi desventura di.
   Hacia suplicaciones,
705 suplicaciones vendí,
   y en un día diez canastas
   todas las jugué y perdí.
   Fuíme, y topé con un ciego,
   a quien diez meses serví,
710 que, a ser años, yo supiera
   lo que no supo Merlín. [54]
   Aprendí la jerigonza, [55]
   y a ser vistoso [56] aprendí,
   y a componer oraciones
715 en verso airoso y gentil.
   Murióseme mi buen ciego,
   dejóme cual Juan Paulín, [57]
   sin blanca, pero discreto,
   de ingenio claro y sutil.
720 Luego fuí mozo de mulas,
   y aun de un fullero lo fuí,
   que con la boca de lobo
   se tragara a San Quintín; [58]
   gran jugador de las cuatro,
725 y con la sola le vi
   dar tan mortales heridas,
   que no se pueden decir
   Berrugeta y ballestina,*

---

54 *Merlín* — El adivino en las novelas de caballerías; el encantador.

55 *Jerigonza* — Germanía, jerga de gitanos y ladrones.

56 *Ser vistoso* — es decir, a tener vista, o ser listo; "vistosos oracioneros" dice Cervantes en *La ilustre fregona*.

57 *Juan Paulín* — nombre desconocido. Significa — me dejó en la calle. Véase también v. 1493.

58 *San Quintín* — Ciudad francesa tomada por los españoles en 1557.

el respaldillo y hollín
730 jugaba por excelencia,
y el Mase Juan hi de ruin.
Gran sage [59] del espejuelo,
y del retén [60] tan sutil,
que no se le viera un lince
735 con los antojos del Cid.
Cayóse la casa un día,
vínole su San Martín, [61]
pusiéro[n]le un sobre escrito
encima de la nariz.
740 Dejéle, y víneme al campo,
y sirvo, cual ves, aquí,
a Martín Crespo, el alcalde,
que me quiere más que a sí.
Es Pedro de Urde mi nombre;
745 mas un cierto Malgesí, [62]
mirándome un día las rayas
de la mano, dijo así:
"añadióle* Pedro al Urde
un malas; pero advertid,
750 hijo, que habéis de ser rey,
fraile, y papa, y matachín.
Y avendraos por un gitano
un caso que sé decir
que le escucharán los reyes
755 y gustarán de le oír.
— Pasaréis por mil oficios

59 *Sage* — (Germ.) astuto o avisado; fullero.
60 *Retén* — se halla citado, como traza del "floreo de Vilhán" en *Rinconete y Cortadillo*. Aquí se mencionan, además, el hollín, la *ballestilla*, el *Maese Juan* y el *espejuelo*. Todas eran *flores* usadas por los fulleros.
61 *San Martín* — Según el refrán: "Para cada puerco hay (le viene) su San Martín "(Santillana), es decir, "No hay plazo que no se cumpla".
62 *Malgesí* — Famoso mágico, hermano de Reinaldos. Ambos figuran también en la comedia *La casa de los celos*.

trabajosos; pero al fin
tendréis uno do seáis
todo cuanto he dicho aquí."
760 Y aunque yo no le doy crédito,
todavía veo en mí
un no sé qué que me inclina
a ser todo lo que oí;
pues (como de este pronóstico
765 el indicio veo en ti,)
digo que he de ser gitano,
y que lo soy desde aquí.

Maldonado

¡Oh Pedro de Urdemalaz generoso,
—columna y cer del gitanezco templo!
770 Ven, y daraz principio al alto intento
que te incita, te mueve, impele y lleva
a ponerte en la lizta gitanezca;
ven a aduzir al agrio y tierno pecho
de la hurtada mochacha que te he di-
[cho,
775 por quien zeraz dichoso zobremodo.

Pedro

Vamos, que yo no pongo duda en eso,
y espero de este asunto un gran suceso,

Entranse, y pónese *Benita* a la ventana en cabello

Benita

Tus alas, ¡oh noche!, extiende
sobre cuantos te requiebran,
780 y a su gusto justo atiende,
pues dicen que te celebran
hasta los moros de aliende.
Yo, por conseguir mi intento,
los cabellos doy al viento,
785 y el pie izquierdo a una bacía
llena de agua clara y fría,
y el oído al aire atento.

Eres noche tan sagrada,
que hasta la voz que en ti suena
790 dicen que viene preñada
de alguna ventura buena
a quien la escucha guardada.
Haz que a mis oídos toque
alguna que me provoque
795 a esperar suerte dichosa.

Sale* el *Sacristán*

Sacristán

Prenderá a la dama hermosa,
sin alguna duda, el Roque;
Roque ha de ser el que prenda
en este juego a la dama,
800 puesto que ella se defienda;
que su ventura le llama
a gozar tan rica prenda.

Benita

Roque dicen, Roque oí.
Pues no hay otro Roque aquí
805 que el necio del sacristán.
Veamos si nombrarán
Roque otra vez.

Sacristán

Será así,
porque es el Roque tal pieza,
que no hay dama que se esquive
810 de entregarle su belleza;
⌈y, aunque en estrecheza vive,
⌊es muy rico en su estrecheza.

Benita

¡Ce!, gentil hombre, tomad
este listón, y mostrad
815 quien sois mañana con él.

Sacristán

Seréos en todo fiel,
extremo de la beldad:

Estándole dando un listón *Benita* al *Sacristán,* entra *Pascual,* y ásele del cuello y quítale la cinta

                    que cualquiera que seáis
                    de las dos que en esta casa
    820   vivís, se* os aventajáis
                    a Venus.
Pascual

                    ¿Que aquesto pasa?
                    ¿Que esta cuenta de vos dais?
                    Benita, ¿que a un sacristán
                    vuestros despojos se dan?
    825   Grave fuera aquesta culpa,
                    si no tuviera disculpa
                    en ser noche de San Juan.
                    Vos, bachiller graduado
                    en letras de canto llano,
    830   ¿de quién fuistes avisado
                    para ganar por la mano
                    el juego mal comenzado?
                    ¿Así a maitines se toca
                    con vuestra vergüenza poca?
    835   ¿Así os hacen olvidar
                    del cantar y repicar
                    los picones [63] de una loca?

Sale* *Pedro*

Pedro

                    ¿Qué es esto, Pascual amigo?

Pascual

                    El sacristán y Benita
    840   han querido sea testigo
                    de que ella es mujer bendita
                    y él de embustes enemigo;
                    mas, porque no se alborote

---

63 *Picones* — burlas.

y vea que el* estricote [64]
845 le trae su honra su intento,
por testigos le presento
esta cinta y este zote.

Sacristán

Por las santas vinajeras, [65]
por* quien dejo cada día
850 agotadas y ligeras,
que no fue la intención mía
de burlarme con las veras.
Hoy a los dos os oí
lo que había de hacer allí
855 Benita, en cabello puesta,
y, por gozar de la fiesta,
vine, señores, aquí.
Nombréme, y ella acudió
al reclamo, como quien,
860 del primer nombre que oyó,
de su gusto y de su bien
indicio claro tomó;
que la vana hechicería
que la noche antes del día
865 de San Juan usan doncellas,
hace que se muestren ellas
de liviana fantasía.

Pascual

¿Para qué te dió esta cinta?

Sacristán

Para que me la pusiese,
870 y conocer por su pinta
quién yo era, cuando fuese
ya la luz clara y distinta.

Benita

¿Para qué tantas preguntas
te alargas, Pascual? ¿Barruntas

---

64 *traer a uno al estricote* — Al retortero; no dejarle **parar.**
65 *Vinajeras* — Jarrillos en que se sirve en la misa el **vino y**
el agua. (Juramento muy propio de un zote de **sacristán.**)

875 mal de mí? Mas no lo dudo,
porque, en mi daño, de agudo
siempre he visto que despuntas.

Pascual

Así con esa verdad
se te arranque el alma, ingrata,
880 sospechosa en la amistad,
que con más llaneza trata
que dióle* sinceridad.
Los álamos de aquel río,
que con el cuchillo mío
885 tienen grabado tu nombre,
te dirán si yo soy hombre
de buen proceder vacío.

Pedro

Yo soy testigo, Benita,
que no hay haya en aquel prado
890 donde no te vea escrita,
y tu nombre coronado
que tu fama solicita.

Pascual

¿Y en qué junta de pastores
me has visto que los loores
895 de Benita no alce al Cielo,
descubriendo mi buen celo
y encubriendo mis amores?
¿Qué almendro, guindo o manzano
has visto tú que se viese
900 en dar su fruto temprano,
que por la mía no fuese
traído a tu bella mano
antes que las mismas aves
lo* tocasen? Y aun tú sabes
905 que otras cosas por ti he hecho
de tu honra y tu provecho,
dignas de que las alabes.
Y en los árboles que ahora
vendrán a enramar tu puerta,
910 verás, cruel matadora,

cómo en ellos se ve cierta
la gran fe que en mi alma mora.
Aquí verás la verbena,
de raras virtudes llena,
915 y el rosal, que alegra el* alma,
y la victoriosa palma,
en todos sucesos buena.
Verás del álamo erguido
pender la delgada oblea,
920 y del valle aquí traído,
para que en tu puerta sea
sombra al sol, gusto al sentido.

Benita

No hayas miedo me provoque
tu arenga a que yo te toque
925 la mano, encuentro amoroso,
porque no ha de ser mi esposo
quien no se llamare Roque.

Pedro

Tú tienes mucha razón;
pero el remedio está llano
930 con toda satisfacción,
porque nos le da en la mano
la santa confirmación. [66]
Puede Pascual confirmarse,
y puede el nombre mudarse
935 de Pascual en Roque, y luego,
con su gusto y tu sosiego,
puede contigo casarse.

Benita

De ese modo, yo lo aceto.

Sacristán

¡Gracias a Dios que me veo
940 libre de tan grande aprieto!

---

66 *Confirmación* — el que recibe el sacramento de la **Confir-**
mación puede elegir otro nombre.

Pedro

Que has hecho un gallardo empleo,
Benita, yo te prometo,
porque aquel refrán que pasa
por gente de buena masa,
945 que es discreto determino:
"Al hijo de tu vecino,
límpiale y métele en casa."

Benita

Ponte ese listón, Pascual,
y en parte do yo le vea.

Pascual

950 Pienso hacer de él el caudal
que hace de su librea
Iris, arco celestial.
Espérate, que ya suena
la música que se ordena
955 para el traer de los ramos.

Pedro

Con gusto aquí la esperamos.

Benita

Ella venga en hora buena.

Suena dentro todo género de música, y su gaita zamorana;
salen todos los que pudieren con ramos, principalmente
Clemente, y los *Músicos* entran cantando esto:

Músicos

Niña, la que esperas
en reja o balcón,
960 *advierte que viene*
tu polido amor.
Noche de San Juan,
el gran Precursor,
que tuvo la mano
965 más que de reloj,
pues su dedo santo
tan bien señaló,
que nos mostró el día

que no anocheció;
970 muéstratenos clara,
sea en ti el albor
tal, que perlas llueva
sobre cada flor;
y en tanto que esperas
975 a que salga el sol,
di[r]ás a mi niña
en suave son:
Niña, la que esperas, etc.
Dirás a Benita
980 que Pascual, pastor,
guarda los cuidados
de tu corazón;
y que de Clemencia
el que es ya señor,
985 es su humilde esclavo,
con justa razón;
y a la que desmaya
en su pretensión,
tenla de tu mano,
990 no la olvides, non, [67]
y dile callando,
o en erguida voz,
de modo que oiga
la imaginación:
995 *Niña, la que esperas*
en reja o balcón,
advierte que viene
tu polido amor.

Clemente

Ello está muy bien cantado.
1000 ¡Ea!, enrámese este umbral
por el uno y otro lado.
¿Qué haces aquí, Pascual,
de los dos acompañado?
Ayúdanos, y a Benita

---

67 *Non* — No; negación repetida de una cosa.

1005 con servicios solicita,
enramándole la puerta:
que a la voluntad ya muerta
el servirla resucita.
Ese laurel pon aquí, [68]
1010 ese sauce a esotra parte,
ese álamo blanco allí,
y entre todos tenga parte
el jazmín y el alhelí.
Haga el suelo de esmeraldas
1015 la juncia, y la flor de gualdas [69]
le vuelva en ricos topacios,
y llénense estos espacios
de flores para guirnaldas.

Benita

Vaya otra vez la música, señores,
que la escucha Clemencia; y tú, mi
1020 [Roque,

(Quítase de la ventana)

haz que suene otra vez.

Pascual

A mí me place,
confirmadora dulce hermosa mía.
Vuélvanse a repicar esas sonajas,
háganse rajas las guitarras, vaya
1025 otra vez el floreo, [70] y solemnícese
esta mañana en todo el mundo célebre
pues que lo quiere así la gloria mía.

Clemente

Cántese, y vamos, que se viene el día.

---

68 Nótese la fragancia y el colorido, junto con el nerviosismo
y la brevedad de las órdenes.
69 *Flor de gualdas* — Flor de color amarillo como el topacio.
70 *El floreo* — Movimiento de la danza popular. *Florear:* tocar varias cuerdas de la guitarra con tres dedos sucesiva-
mente sin parar.

(Canta)

A la puerta puestos
1030 de mis amores,
espinas y zarzas
se vuelven flores.
El fresco escabroso
y robusta encina,
1035 puestos a la puerta
do vive mi vida,
verán que se vuelven,
si acaso los mira,
en matas sabeas [71]
1040 de sacros olores,
y espinas y zarzas
se vuelven flores;
do pone la vista
o la tierna planta,
1045 la hierba marchita
verde se levanta;
los campos alegra,
regocija el alma,
enamora a siervos,
1050 rinde a señores,
y espinas y zarzas
se vuelven flores.

3) Entranse cantando, y salen *Inés* y *Belica,* gitanas, (que las podrán hacer las que han hecho *Benita* y *Clemencia*)

Inés

Mucha fantasía es ésa;
Belilla, no sé qué diga:
1055 o tu te sueñas condesa,
o que eres del rey amiga.

---

71 *Matas sabeas* — *Mata*: planta, vive en Africa y en Arabia. *Sabeo* — concerniente o relativo a la región *Sabá* de la Arabia antigua.

Belica

De que sea sueño me pesa.
Inés, no me des pasión
con tanta reprehensión;
1060 déjame seguir mi estrella.

Inés

Confiada en que eres bella,
tienes tanta presunción.
Pues mira que la hermosura
que no tiene calidad,
1065 raras veces aventura.

Belica

Confírmase esa verdad
muy bien con mi desventura.
¡Oh cruda suerte inhumana!
¿Por qué a una pobre gitana
1070 diste ricos pensamientos?

Inés

Aquél fabrica en los vientos
que a ver quién es no se allana.
Huye de esas fantasías;
ven, y el baile aprenderás
1075 que comenzaste estos días.

Belica

Inés, tú me acabarás
con tus extrañas porfías;
pero engáñaste en pensar
1080 que tengo yo de guardar
tu gusto cual justa ley,
y sólo ha de ser el rey
el que me ha de hacer bailar.

Inés

De esa manera, Belilla,
que vengáis al hospital
1085 no será gran maravilla:
que hacer de la principal
no es para vuestra costilla.
¡Acomodaos, noramala,

a la cocina y la sala,
1090 a bailar aquí y allí!

Belica

Aqueso no es para mí.

Inés

¿Pues qué? ¿El donaire y la gala,
el rumbo, el cer del tuzón, [72]
derribando por el zuelo
1095 el gitanezco blazón,
levantado hasta el cielo
por nueztra honezta intención?
Antes te vea yo comida
de rabia, y antes rendida
1100 a un gitano que te dome,
o a un verdugo que te tome
de las espaldas medida. [73]
¿Esto por ti se ha de ver?
¿Que no sea con gitano
1105 gitana, mala mujer?
Chico hoyo [74] hagas temprano,
si es que tan mala has de ser.

Belica

Mucho te alargas, Inés,
y, como simple, no ves
1110 dónde mi intención camina.

Inés

Pues esta simple adivina
lo que tú verás después.

---

72 el ser del *tuzón* o *toisón*. Orden del Toisón de Oro, es la
mayor de las órdenes de caballerías de España y Austria,
fundada en 1429. *Señora del tuzón* quiere decir la corte-
sana, mujer de mala vida, pero que descuella por su ele-
gancia o su talento. (Véase: Alarcón, *La verdad sospechosa*, I, 3).

73 *De las espaldas medida* — Azotes.

74 *Hoyo* — tumba (¡que mueras pronto!).

Salen *Pedro* y *Maldonado*

Maldonado

> Esta que ves, Pedro hermano,
> es la gitana que digo,
1115 > de parecer sobrehumano,
> cuya posesión me obligo
> de entregártela en la mano.
> Acaba, muda de traje,
> y aprende nuestro lenguaje;
1120 > y, aun sin aprenderle, entiendo
> que has de ser gitano, siendo
> cabeza de tu linaje.

Inés

> ¡Danoz una limoznica,
> caballero atán [75] garrido!

Maldonado

1125 > ¡Deso [76] el labrador se pica!
> ¡Qué mal le has conocido,
> Inés!

Inés

> Pide tú, Belica.

Pedro

> Si ella pide, no habrá cosa,
> por grande y dificultosa
1130 > que sea, que yo no haga,
> sin esperar otra paga
> que el servir a una hermosa.

Maldonado

> ¿No le respondes, señora?*

Inés

> Ceñor conde, vez do viene
1135 > la viuda tan guardadora, [77]
> que, puezto que mucho tiene,
> máz guarda y máz atezora.

---

75 *Atán* — Tan.
76 *Deso* — Contr. de la prep. *de* y el pron. *eso*.
77 *Guardadora* — Tacaña, avara.

Sale una *Viuda* labradora, que la lleva un escudero labrador de la mano

Viuda

Limozna, zeñora mía,
por la bendita María
1140 y por zu Hijo bendito.

De mí nunca lleva el grito
limosna, ni la porfía.
Mejor estará el servir
a vosotras, que os está
1145 tan sin vergüenza el pedir.

Escudero

Va el mundo de suerte ya,
que no se puede sufrir.
Es vagabunda esta era;
no hay moza que servir quiera,
1150 ni mozo que por su yerro
no se ande a la flor del berro, [78]
él sandio, y ella altanera.
Y esta gente infructuosa,
siempre atenta a mil malicias,
1155 doblada, astuta y mañosa,
ni a la Iglesia da primicias
ni al rey no le sube en cosa.
A la sombra de herreros
usan muchos desafueros, [79]
1160 y, con perdón sea mentado,
no hay seguro asno en el prado
de los gitanos cuatreros.

---

78 "*Andar a la flor del berro*, es andarse a sus anchas; del que no cuida de más que de sus gustos" (Correas).
79 *Desafueros* — Lo que dice Escudero recuerda a Berganza en *El coloquio de los perros* cuando dice: "Ocúpanse, por dar color a su ociosidad, en labrar cosas de hierro, haciendo instrumentos con que facilitan sus hurtos..." *Cuatrero* — Ladrón de bestias; en *El coloquio* se menciona un engaño o hurto que unos gitanos habían hecho a un labrador, con una "cola postiza".

Viuda

> Dejadlos, y caminad,
> Llorente, que es algo tarde.

Entranse *Llorente* y la *Viuda*

Belica

1165 Tómame esa caridad.
No hagáis sin hacer alarde
de vuestra necesidad
delante de aquesta gente,
que no faltará un Llorente
1170 como otro Gil que os persiga,
y, sin que os dé nada, diga
palabras con que os afrente.

Maldonado

¿Veisla, Pedro? Pues es fama
que tiene diez mil ducados
1175 junto a los pies de su cama,
en dos cofres barreados
a quien sus ángeles llama.
Requiébrase así con ellos,
que pone su gloria en ellos,
1180 y así, en verlos se desalma:
que han de ser para su alma
lo que a Absalón sus cabellos.
Sólo a un ciego da un real
cada mes, porque le reza
1185 las mañanas a su umbral
oraciones que endereza
al eterno tribunal,
por si acaso sus parientes,
su marido y ascendientes
1190 están en el purgatorio,
haga el santo consistorio
de su gloria merecientes;
y con sola esta obra piensa
irse al Cielo y* de rondón,
1195 sin desmán y sin ofensa.

Pedro

Que yo las saque de arón [80]
mi agudo ingenio dispensa.
Informarte has, Maldonado,
de todos los que han pasado
1200   de este mundo sus parientes,
amigos y bien querientes,
hasta el siervo o paniaguado,
y tráemelo por escrito,
y verás cuán fácilmente
1205   de su miseria la quito;
y a lo que estoy suficiente,
a este embuste lo remito.

Maldonado

Desde su tercer abuelo
hasta el postrer netezuelo
1210   que de su linaje ha muerto,
te traeré el número cierto,
sin que te discrepe un pelo.

Pedro

Vamos, y verás después
lo que haré en aqueste caso
1215   por el común interés.

Maldonado

¿Dó encaminarás el paso,
Belica?

Belica

Do querrá Inés.

Pedro

Do quiera que le encamines,
tendrá por honrosos fines
1220   tu extremado pensamiento.

Belica

Aunque fabrique en el viento,
Pedro, no te determines
a burlar en mi deseo,

---

80 *Sacar de harón* — hacer avivar, andar aprisa. (*Correas*).

que de lejos se me muestra
1225 una esperanza en quien veo
cierta luz tal, que me adiestra
y lleva al bien que deseo.

Pedro

De tu rara hermosura
se puede esperar ventura
1230 que la iguale. Ven, gitana,
por quién nuestra edad se ufana
y en sus glorias se asegura.

JORNADA SEGUNDA

(Salen un *Alguacil,* y *Martín Crespo,* el alcalde, y *Sancho Macho,* el regidor

Alcalde

              Digo, señor alguacil,
              que un mozo que se me fué,
1235 de ingenio agudo y sotil,
              de tronchos de coles [81] sé
              que hiciera invenciones mil;
              y él me aconsejó que hiciese,
              si por dicha el rey pidiese
1240 danzas, una de tal modo,
              que se aventajase en todo
              a la que más linda fuese.
              Dijo que el llevar doncellas
              era una cosa cansada,
1245 y que el rey no gusta de ellas,
              por ser danza muy usada,
              y estar ya tan hecho a vellas;
              mas que por nuevos niveles
            - llevase una de donceles
1250 como serranas vestidos;
              en pies y brazos ceñidos
              multitud de cascabeles;
              y ya tengo, a lo que creo,
              veinte y cuatro así aprestados,
1255 que pueden, según yo veo,
              ser sin vergüenza llevados
              al romano coliseo.
              Ya yo le enseñé los dos
              de los mejores.

---

81 *Hacer invenciones de tronchos de coles* — Hacer algo de nada.

Alguacil

Por Dios,
que la invención es muy buena.

Sancho

Lo que nuestro alcalde ordena,
es cosa rala entre nos,
y todo lo que él más sabe
de un su mozo lo aprendió
1265 que fue de su ingenio llave;
mas ya se fue y nos dejó,
que mala landre [82] le acabe:
que así quedamos vacíos,
sin él, de ingenio y de bríos.

Alguacil

¿Tanto sabe?

Sancho

1270 Es tan astuto,
que puede darle tributo
Salmón, rey de los Judíos.

Alcalde

Haga cuenta, en viendo aquéstos,
que los veinte y cuatro mira:
1275 que todos son tan dispuestos,
derechos como una vira,
sanos, gallardos y prestos.
Aquel que no es nada renco
se llama Diego Mostrenco;
1280 el otro, Gil el Peraile;
cada cual diestro en el baile
como gozquejo flamenco. [83]
Tocándoles Pingarrón,
mostrarán bien su destreza

---

82 *Landre* — Tumor, peste bubónica. Comp. "Postema y landre
te mate..." F. de Rojas, *La Celestina*, Auto I.

83 *Gozquejo flamenco* — Gozquejo: m.d. de gozque, perro pe-
queño muy sentido y ladrador. *Flamenco* — natural de la antigua región de Flandes.

1285 a compás de cualquier son,
y alabarán la agudeza
de nuestra nueva invención.
Las danzas de las espadas [84]
hoy quedarán arrimadas,
1290 a despecho de hortelanos,
envidiosos los gitanos,
las doncellas afrentadas.
¿No le pareció, señor,
muy bien el talle y el brío
1295 de uno y otro danzador?

Alguacil

Si juzgo al parecer mío,
nunca vi cosa peor;
y temo que, si allá vais,
de tal manera volváis,
1300 que no acertéis el camino.

Alcalde

Tocado, a lo que imagino,
señor, de la envi[di]a estáis.
Pues en verdad que hemos de ir
con veinte y cuatro donceles
1305 como aquéllos, sin mentir,
porque invenciones noveles,
o admiran, o hacen reir.

Alguacil

Yo os lo aviso; queda en paz.

Vase el *Alguacil*
Sancho

Alcalde, tu gusto haz,
1310 porque verás por la prueba
que esta danza, por ser nueva,
dará al rey mucho solaz.

---

84 *Danzas de las espadas* — La que se hace con espadas en la
mano golpeando con ellas a compás de la música.

Alcalde

No lo dudo. Venid, Sancho,
que ya el corazón ensancho,
1315   do quepan los parabienes
de la danza.

Sancho

Razón tienes:
que has de volver hueco y ancho.

2) **Entranse, y salen dos *Ciegos*, y el uno *Pedro de Urdemalas*;
arrímase el primero a una puerta, y *Pedro* junto a él, y pó-
-nese la *Viuda* a la ventana**

Ciego

Animas bien fortunadas
que en el purgatorio estáis,
1320   de Dios seáis consoladas,
y en breve tiempo salgáis
de esas penas derramadas,
y como un trueno
baje a vos el ángel bueno
1325   y os lleve a ser coronadas.

Pedro

Animas que de esta casa
partistes al purgatorio,
ya en sillón, ya en silla rasa,
del divino consistorio
1330   os venga al vuestro sin tasa,
y en un vuelo
el ángel os lleve al Cielo,
para ver lo que allá pasa.

Ciego

Hermano, vaya a otra puerta, [85]

---

85 Comp.: "Que en los puestos y asientos guarden todos la antigüedad de posesión y no de personas y que el uno al otro
no lo usurpe ni defraude" Mateo Alemán, *Guzmán de Alfa-
rache*, Parte I, libro III, cap. II, *"Ordenanzas mendicativas"*.

1335   porque aquesta casa es mía,
       y en rezar aquí no acierta.

Pedro

       Yo rezo por cortesía,
       no por premio, cosa es cierta,
       y así, puedo
1340   rezar doquiera, sin miedo
       de pendencia ni reyerta.

Ciego

       ¿Es vistoso, ciego honrado?

Pedro

       Estoy desde que nací
       en una tumba encerrado.

Ciego

1345   Pues yo en algún tiempo vi;
       pero ya, por mi pecado,
       nada veo,
       sino lo que no deseo,
       que es lo que ve un desdichado.
1350   ¿Sabrá oraciones abondo? [86]

Pedro

       Porque sé que sé infinitas,
       aquesto, amigo, os respondo:
       que a todos las doy escritas,
       o a muy pocos las escondo.
1355   Sé la del ánima sola,
       y sé la de San Pancracio,
       que nadie cual ésta vióla;
       la de San Quirce y Acacio,
       y la de Olalla española,
1360   y otras mil,
       adonde el verso sotil
       y el bien decir se acrisola;
       las de los auxiliadores
       sé también, aunque son treinta,
1365   y otras de tales primores,

---

86 *Abondo*: muchas.

que causo envidia y afrenta
a todos los rezadores,
porque soy,
adondequiera que estoy,
1370 el mejor de los mejores.
Sé la de los sabañones,
la de curar la tericia [87]
y resolver lamparones,
la de templar la codicia
1375 en avaros corazones;
sé, en efeto,
una que sana el aprieto
de las internas pasiones,
y otras de curiosidad.
1380 Tantas sé, que yo me admiro
de su virtud y bondad.

Ciego

Ya por saberlas suspiro.

Viuda

Hermano mío, esperad.

Pedro

¿Quién me llama?

Ciego

1385 Según la voz, es el ama
de la casa, en mi verdad.
Ella es estrecha, aunque rica,
y sólo a mandar rezar
es a lo que más se aplica.

Pedro

1390 Pícome yo de callar
con quien al dar no se pica:
que esté mudo
a sus demandas no dudo
si no lo paga y suplica.

---

87 *Tericia* — Ictericia.

Sale la *Viuda*

Viuda

1395 Puesta en aquella ventana,
he escuchado sus razones
y su profesión cristiana,
y las muchas oraciones
con que tantos males sana,
1400 y querría me hiciese
placer que algunas me diese
de las que le pediría,
dejando a mi cortesía
el valor del interese.

Pedro (Aparte)

1405 Si despide a ese otro ciego,
yo le diré maravillas.

Viuda (Aparte)

Pues yo le despido luego.

Pedro

Señora, no he de decillas
ni por dádivas ni ruego.

Viuda

1410 Váyase, y venga después,
amigo.

Ciego

Vendré a las tres
a rezar lo cuotidiano.

Viuda

En buen hora.

Ciego

Adiós, hermano,
ciego, o vistoso, o lo que es;
1415 y si es que se comunica,
sepa mi casa, y verá
que, aunque pobre, ruin y chica,
sin duda en ella hallará
una voluntad muy rica,
1420 y la alegre posesión

Pedro

de un segoviano doblón [88]
gozará liberalmente
si nos da, de su torrente, [89]
ya milagro, o ya oración.

1425 Está bien; yo acudiré
a saber la casa honrada
tan llena de amor y fe,
y pagaré la posada
con lo que le enseñaré.
1430 Cuarenta milagros tengo
con que voy y con que vengo
por dondequiera a mi paso,
y alegre la vida paso,
y como un rey me mantengo.

Entrase el Ciego

1435 Mas tú, señora Marina,
Sánchez es el sobrenombre,
a mi voz la oreja inclina,
y atenta escucha de un hombre
una embajada, divina.
1440 Las almas del* purgatorio
entraron en consistorio,
y ordenaron las prudentes
que les fuese a sus parientes
su insufrible mal notorio.
1445 Hicieron que una tomase,
de gran prudencia y consejo,
para que lo efectuase,
cuerpo de un honrado viejo,
y así al mundo se mostrase,
1450 y diéranle una instrucción

---

88 *Segoviano doblón* — Moneda antigua de oro fabricada en Segovia.
89 *Torrente* — Abundancia; "infinitas" (v. 1351).

y una larga relación
de lo que tiene de hacer
para que puedan tener,
o ya alivio, o ya perdón;
1455 y está ya cerca de aquí
esta alma, en un cuerpo honesto
y anciano, cual yo lo* vi,
y sobre un asno trae puesto
el cerro de Potosí. [90]
1460 Viene lleno de doblones
que le ofrecen a montones
los parientes de las almas
que en las tormentas sin calma[s]
padecen graves pasiones.
1465 En oyendo que en su lista
hay alma que en purgatorio
con duras penas se atrista, [91]
no hay talego, ni escritorio,
ni cofre que se resista.
1470 Hasta los gatos [92] guardados,
de rubio metal preñados,
por librarla de tormentos,
descubren allí contentos
sus partos acelerados.
1475 Esta alma vendrá esta tarde,
señora Marina mía,
a hacer de su lista alarde
ante ti; pero querría
que en secreto esto se guarde,
1480 y que a solas la recibas

---

90 *Cerro de Potosí* — Se refiere a las minas de oro del Potosí.
91 *Atristar* — entristecer.
92 *Gatos* — talegos de dinero oculto, que se hacían del pellejo
de gatos, de donde proviene el nombre. En *Poderoso caballero
es don Dinero*, Quevedo hace juego de palabras con dos sentidos: talegos y ladrones rateros. Véase nuestra edición
de *El mesón del Mundo*, de Rodrigo Fernández de Ribera,
Edit. Las Américas, Nueva York, 1963, cita 81.

y que a darle te apercibas,
lo que piden tus parientes
que moran en las ardientes
hornazas, de alivio esquivas.
1485 Este* hecho, te asegura
que te enseñará oración
con que aumentes tu ventura:
que esto ofrece en galardón
de aquella voluntad pura
1490 que con él se muestra franca,
y de su escondrijo arranca
hasta el menudo cuatrín,
y queda, cual San Paulín,
como se dice, sin blanca.

Viuda

1495 ¿Que esa embajada me envía
esa alma, ciego bendito?

Pedro

Y toda de vos se fía,
y se remite a lo escrito
de vuestra genealogía.

Viuda

1500 ¿Cómo la conoceré
cuando venga?

Pedro

Yo haré
que tome casi mi aspeto.

Viuda

¡Oh, qué albricias te prometo!
¡Qué de cosas te daré!

Pedro

1505 En las cosas semejantes
—es bien gastar los dineros
guardados de tiempos antes;
los ayunos verdaderos,
y espaldas disciplinantes, [93]

---

93 *Espaldas disciplinantes* — Azotadas por castigo; *mosquear
las espaldas,* dar azote en ellas.

1510 todo se ha de aventurar
sólo por poder sacar
a un alma de su pasión,
y llevarla a la región
donde no mora el pesar.

Viuda

1515 Ve en paz, y dile a ese anciano
que tan alegre le espero,
que en verle pondré en su mano
—mi alma, que es el dinero,
con pecho humilde y cristiano;
1520 que, aunque soy un poco escasa,
me afligiré en ver que pasa
alma de pariente mío,
según dicen, fuego y frío,
éste o aquél muy sin tasa.

Pedro

1525 Tu fama a la de Leandro[94]
exceda, y jamás se tizne
tu pecho de otro Alejandro;[95]
antes, cante de él un cisne
en las aguas de Meandro;[96]
1530 a los hiperbóreos montes
pase, al cielo te remontes,
y allá te subas con ella,
y otra no encierren cual ella
nuestros corvos horizontes.

3) **Entranse los dos, y salen** *Maldonado y Belica*
Maldonado

1535 Mira, Belica: éste es hombre

---

94 *Leandro* — Se refiere al Leandro amador de Hero. El gran idilio amoroso. En el soneto de Garcilaso: "Pasando el mar Leandro el animoso,/en amoroso fuego todo ardiendo..." *Jamás se tizne* — jamás sea inferior.

95 *Alejandro* — Rey de Macedonia; ser un Alejandro, ser espléndido.

96 *Aguas de Meandro* — Nombre de un río del Asia Menor conocido por lo tortuoso de su curso.

que te sacará del lodo,[97]
de grande ingenio y gran nombre,
tan discreto y presto en todo,
que es forzoso que te asombre.
1540 Quiérese volver gitano
por tu amor, y dar de mano
a otra cualquier pretensión:
considera si es razón
que le muestres pecho llano.
1545 El será el mejor cuatrero,
según que me lo imagino,
que habrá visto el mundo entero,
solo, raro y peregrino
en las trazas de embustero;
1550 porque en una que ahora intenta,
he sacado en limpia cuenta
que ha de ser único en todas.

Belica

Fácilmente te acomodas
a tu gusto y a mi afrenta.
1555 ¿No se te ha ya traslucido
que, [el que a grande no me lleve,
no es para mí buen partido?]

Maldonado

No hay cosa en que más se pruebe
que careces de sentido,
1560 que en esa tu fantasía,
fundada en la lozanía
de tu juventud [98] gallarda
que en marchitarse no tarda
lo que el sol corre en un día.
1565 Quiero decir que es locura
manifiesta, clara y llana,

---

97 *Te sacará del lodo* — Decíase también *sacar el pie del lodo,*
por ayudar a uno para que medre" (Correas). (Sch. y B.
98 El tema de *Carpe diem,* según las palabras de Horacio
(*Odas,* I, II, 8). Hay que aprovechar el día presente; "cásate" dice Maldonado a Belica.

pensar que la hermosura
dura más que la mañana,
que con la noche se oscura;
1570 y a veces es necedad
el pensar que la beldad
ha de ofrecer gran marido,
siendo por mejor tenido
el que ofrece la igualdad.
1575 Así que, gitana loca,
pon freno al grande deseo
que te ensalza y que te apoca,
y no busques por rodeo
lo que en nada no te toca.
1580 Cásate, y toma tu igual,
porque es el marido tal
que te ofrezco, que has de ver
que en él te vengo a ofrecer
valor, ser, honra y caudal.

Sale *Pedro,* ya como gitano

Pedro

    1585 ¿Qué hay, amigo Maldonado?

Maldonado

Una presunción, de suerte
que a mí me tiene admirado:
veo en lo flaco lo fuerte,
en un bajo un alto estado;
1590 veo que esta gitanilla,
cuanto su estado la humilla,
tanto más levanta el vuelo,
y aspira a tocar el cielo
con locura y maravilla.

Pedro

    1595 Déjala, que muy bien hace,
y no la estimes en menos
por eso: que a mí me aplace*
que con soberbios barrenos
sus máquinas suba y trace.

— 98 —

1600 ⌈Yo también, que soy un leño,
príncipe y papa me sueño,
emperador y monarca,
y aún mi fantasía abarca
de todo el mundo a ser dueño.⌋

Maldonado

1605 Con la viuda, ¿cómo fue?

Pedro

Está en un punto la cosa,
mejor de lo que pensé.
Ella será generosa,
o yo Pedro no seré.
1610 Pero ¿qué gente es aquesta
tan de caza y tan de fiesta?

Maldonado

El rey es, a lo que creo.

Belica

Hoy subirá mi deseo
de amor la fragosa cuesta:

Sale el *Rey* con su criado, *Silerio*, y todos de caza

1615 hoy a todo mi contento
he de apacentar mis ojos
y al alma dar su sustento,
gozando de los despojos
que me ofrece el pensamiento
y la vista.

Maldonado

1620 Yo magino
que tu grande desatino
en gran mal ha de parar.

Belica

⌈Mal se puede contrastar
⌊a las fuerzas del Destino.

Rey

1625 ¿Viste pasar por aquí
un ciervo, decid, gitanos,
que va herido?

Belica

Señor, sí;
atravesar estos llanos,
habrá poco que le vi;
1630 lleva en la espalda derecha
hincada una gruesa flecha.

Rey

Era un pedazo de lanza.

Belica

El huir y hacer mudanza
de lugares no aprovecha
1635 al que en las entrañas lleva
el hierro de Amor agudo,
que hasta en el alma se ceba.

Maldonado

Está dará, no lo dudo,
de su locura aquí prueba.

Rey

1640 ¿Qué decís, gitana hermosa?

Belica

Señor, yo digo una cosa:
que el amor y el cazador
siguen un mismo tenor
y condición rigurosa.
1645 Hiere el cazador la fiera,
y, aunque va despavorida,
huyendo en larga carrera,
consigo lleva la herida,
puesto que huya dondequiera;
1650 hiere Amor el corazón
con el dorado harpón,
y, el que siente el parasismo, [99]
aunque salga de sí mismo,
lleva tras sí su pasión.

Rey

1655 Gitana tan entendida,
muy pocas veces se ve.

---

99 *Parasismo* — Paroxismo.

Belica

Soy gitana bien nacida.

Rey

¿Quién es tu padre?

Belica

No sé.

Maldonado

1660 Señor, es una perdida:
dice dos mil desvaríos,
tiene los cascos vacíos,
y llena la necedad
de una cierta gravedad
que la hace tomar bríos
sobre su ser.

Belica

1665 Sea en buen hora;
loca soy por la locura
que en vuestra ignorancia mora.

Silerio

¿Sabéis la buenaventura?

Belica

La mala nunca se ignora
1670 de la humilde que levanta
su deseo a alteza tanta,
que sobrepuja a las nubes.

Silerio

¿Pues por qué tanto la subes?

Belica

No es mucho; a más se adelanta.

Rey

¡Donaire tienes!

Belica

1675 Y tanto,
que, fiada en mi donaire,
mis esperanzas levanto
sobre la región del aire.

Silerio

¡Risa causas!

Rey

Y aun espanto.
1680 ¡Vamos! ¡Mal haya quien tiene
quien sus gustos le detiene!

Silerio

Por la reina dice aquesto.

Belica

No es bien el que viene presto,
si para partirse viene.

Entranse el Rey y Silerio

Pedro

1685 Mira, Belica: yo atino
que en poner en ti mi amor
haré un grande desatino,
y así, me será mejor
llevar por otro camino
1690 mis gustos. Voy, Maldonado,
a efectuar lo trazado,
para que la viuda estrecha
se vea una copia hecha
del cuerpo que está nombrado;
1695 voime a vestir de ermitaño,
con cuyo vestido honesto
daré fuerzas a mi engaño.

Maldonado

Ve donde sabes, que puesto
te dejé el vestido extraño.

Entrase Pedro, y sale el Alguacil, comisario de las danzas

Alguacil

1700 ¿Quién es aquí Maldonado?

Maldonado

Yo, mi señor

Alguacil

Guárdeos Dios.

Belica

> Alguacil y bien criado,
> ¡milagro! Nunca sois vos
> de la aldea.

Maldonado

> Has acertado,
> 1705 porque es de corte, sin duda.

Alguacil

> Es menester que se acuda
> con una danza al palacio
> del bosque.

Maldonado

> Dennos espacio. [100]

Alguacil

> Sí harán: que el rey se muda
> 1710 del monasterio do está,
> de aquí a dos días, a él.

Maldonado

> Como lo mandas se hará.

Belica

> ¿Viene la reina con él?

Alguacil

> ¿Quién lo duda? Si vendrá.

Belica

> 1715 ¿Y es todavía celosa,
> como suele, y rigurosa?

Alguacil

> Dicen que sí: no sé nada.

Belica

> ¿No la hacen confiada
> el ser reina y ser hermosa?

Alguacil

> 1720 Turba el demasiado amor
> a los sentidos más altos,
> de más prendas y valor.

---

100 *Espacio* — Porción del tiempo.

Belica

> A Amor son los sobresaltos
> muy anejos, y el temor.

Alguacil

> 1725 Tan moza, ¿y eso sabéis?
> Apostaré que tenéis
> el alma en su red envuelta.
> Voime, que he de dar la vuelta
> por aquí. No os descuidéis,
> 1730 Maldonado, en que sea buena
> la danza, porque no hay pueblo
> que hacer la suya no ordena.

Maldonado

> Todo mi aprisco despueblo;
> ella irá de galas llena.

P120 La escena con la vruda y Pedro debe situarse aquí

4) Entrase el *Alguacil,* y salen *Silerio,* el criado del *Rey,* e *Inés,* (todos)
la gitana

Silerio

> 1735 Qué, ¿tan arisca es la moza?

Inés

> Eslo, señor, de manera,
> que de no nada se altera,
> y se enoja y alboroza;
> cierta fantasía reina
> 1740 en ella, que nos enseña,
> o que lo es, o que se sueña
> que ha de ser princesa o reina;
> no puede ver a gitanos
> y usa con ellos de extremos.

Silerio

> 1745 Pues ahora le daremos
> do pueda llenar las manos,
> pues la quiere ver el rey
> con amorosa intención.

Inés

> En las leyes de afición
> 1750 no guarda ninguna ley.
> Aunque quizá, como es alta

y subida en pensamientos,
hallará que a sus intentos
un rey no podrá hacer falta.
1755 Yo, a lo menos, de mi parte
haré lo que me has mandado,
y le daré tu recado,
no más de por contentarte.

Silerio

Pudiérase usar la fuerza
1760 antes aquí que no el ruego.

Inés

Gusto con desasosiego,
antes mengua que se esfuerza.
Mas llevaremos la danza,
y hablarémonos después:
1765 que la escala de interés
hasta las nubes alcanza.

Silerio

Encomiéndote otra cosa,
que importa más a este efeto.

Inés

¿Qué encomiendas?

Silerio

El secreto;
1770 porque es la reina celosa,
y con la menor señal
que vea de su disgusto,
turbará del rey el gusto,
y a nosotros vendrá mal.

Inés

1775 Váyase, que viene allí
nuestro conde.

Silerio

Sea en buen hora,
y humíllese esa señora;
yo haré lo que fuere en mí.

Vase *Silerio*, y salen *Maldonado* y *Pedro*, de ermitaño

Pedro

1780 Aunque yo pintara el caso,
no me saliera mejor.

Maldonado

Brunelo,[101] el grande embaidor,
ante ti retire el paso.
Con tan grande industria mides
lo que tu ingenio trabaja,
1785 que te ha de dar la ventaja,
fraudador de los ardides.
Libre de deshonra y méngua
saldrás en toda ocasión,
siendo en el pecho Sinón,[102]
1790 Demóstenes[103] en la lengua.

Inés

Señor conde, el rey aguarda
nuestra danza aquesta tarde.

Pedro

Haga, pues, Belica alarde
de mi rica y buena andanza;[104]
1795 púlase y échese el resto
de la gala y hermosura.

Inés

Quizá forjas su ventura,
famoso Pedro, en aquesto.
A ensayar la danza vamos,

---

101 *Brunelo* — Personaje de los poemas de Boyardo y del Ariosto. Hurtó a Angélica su anillo, el caballo a Sacripante, las espadas a Marfisa y a Orlando, y el cuerno a este último, siendo nombrado rey de Tingitana por Agramante y finalmente ahorcado por orden de éste. (Sch. y B.).

102 *Sinón* — Guerrero griego destacado en el sitio de Troya por el ingenioso caballo de madera.

103 *Demóstenes* — El más famoso de los oradores de la antigüedad.

104 *Andanza* — Asonante, a pesar de ser redondilla. Sch. y B. dicen que podría corregirse leyendo: "Señor conde, el rey la danza/nuestra aguarda aquesta tarde".

1800 y a vestirnos de tal modo,
que se admire el pueblo todo.

Pedro

Bien dices, y ya tardamos.

Entranse todos, y salen el *Rey* y *Silerio*

Silerio

Digo, señor, que vendrá
en la danza ahora, ahora.

Rey

1805 Mi deseo se empeora,
pasa de lo honesto ya;
más me pide que pensé,
y ya acuso la tardanza,
pues la propincua esperanza
1810 fatiga, y crece la fe.
A los ojos la hurtarás
de la reina.

Silerio

Haré tu gusto.

Rey

Dirás cómo de esto gusto,
y aun otras cosas dirás,
1815 con que acuses mi deseo
allá en tu imaginación.

Silerio

Si Amor guardara razón,
fuera aquéste devaneo;
pero como no la guarda,
1820 ni te culpo, ni disculpo.

Rey

Conozco el mal, y me culpo,
aunque con disculpa tarda
y floja.

Silerio

La reina viene.

Rey

Mira que estés prevenido,

1825 y tan sagaz y advertido
como a mi gusto conviene;
porque esta mujer celosa
tiene de lince los ojos.

Silerio

Hoy gozarás los despojos
1830 de la gitana hermosa.

Sale la Reina

Reina

Señor, ¿sin mí? ¿Cómo es esto?
No sé qué diga, en verdad.

Rey

Alegra la soledad
de este fresco hermoso puesto.

Reina

1835 ¿Y enfada mi compañía?

Rey

Eso no es bien que digáis,
pues con ella levantáis
al cielo la suerte mía.

Reina

Cualquier cosa me asombra
1840 y enciende, y crece el deseo
si no os veo, o si no veo
de vuestro cuerpo la sombra;
y aunque esto es impertinencia,
si conocéis que (el Amor
1845 me manda como señor,)
con gusto tendréis paciencia.

Silerio

Las danzas vienen, señores,
que de ellas el son se ofrece.

(Suena el tamboril)

Rey

Verémoslas, si os parece,

1850 entre estas rosas y flores:
que el sitio es acomodado,
espacioso y agradable.

Reina

Sea así.

Salen *Crespo*, el alcalde, y *Tarugo*, el regidor

Alcalde

¿Que no le hable?
Tenéislo muy mal pensado.
1855 Voto a tal, que he de quejarme
al rey de aquesta solencia. [105]

Tarugo

Aquí está su reverencia,
Crespo.

Alcalde

¿Queréis engañarme?
¿Cuál es?

Rey

Yo soy, ¿Qué os han hecho,
buen hombre?

Alcalde

1860 No sé qué diga.
Han burlado mi fatiga,
y nuestra danza deshecho,
vuestros pajes, que los vea
erguidos en Peralvillo. [106]
1865 Sé sentillo, y no decillo;
¿qué más mal queréis que sea?
Veinte y cuatro doncellotes,
todos de tomo y de lomo, [107]
venían. Yo no sé cómo
1870 no os da el rey dos mil azotes,
pajes, que sois la canalla

---

105 *Solencia* — Insolencia.
106 *Erguidos en Peralvillo* — ahorcados.
107 *De tomo y de lomo* — Gallardos, apuestos.

más mala que tiene el suelo,
Digo, pues, que, con mi celo,
que es bueno el que en mi se halla,
1875 aquestos tantos donceles
junté, como soy alcalde,
para serviros de balde,
con barbas y cascabeles.
No quise traer doncellas,
1880 ~ por ser danza tan usada,
sino una cascabelada
de mozos parientes de ellas;
y apenas vieron sus trajes,
el* galán uso moderno,
1885 cuando todo el mismo infierno
se revistió en vuestros pajes,
y con trapajo [108] y con lodo
tanta carga les han dado,
que queda desbaratado
1890 el danzante escuadrón todo.
Han sobajado al mejor
penuscón de danzadores
que en estos alrededores
vió príncipe mi señor.

Reina

1895 Pues volvedlos a juntar,
que yo haré que el rey espere.

Tarugo

Aunque vuelva el que quisiere,
No se podrá rodear,
porque van todos molidos
1900 como cibera y alheña,
de mojicón, ripio y leña
largamente proveídos.

Reina

¿No traeréis uno siquiera,
porque gustaré de verle?

---

108 *Trapajo* — Despec. de *trapo*.

Tarugo

Alcalde

1905 Veré si puedo traerle.

Advertid que el rey espera,
Tarugo, y si no está Renco
tan malo como le ví,
traed, si es posible, aquí
1910 a mi sobrino Mostrenco,
que en él echará* de verse
cuáles los otros serían.
¡Oh, cuántos pajes se crían
en corte para perderse!
1915 Pensé que por ser del rey,
y tan bien nacidos todos,
usarían de otros modos
de mejor crianza y ley;
pero cuatro pupilajes
1920 de cuatro Universidades, [109]
no encierran tantas ruindades
como saben vuestros pajes.
Las burlas que nos han hecho
descubren con sus ensayos
1925 que traen cruces en los sayos
y diablos dentro del pecho.

Vuelve *Tarugo,* y trae consigo a *Mostrenco,* tocado a papos,
con un trenzado que llegue hasta las orejas, saya de bayeta
verde guarnecida de amarillo, corta a la rodilla, y sus polai-
nas con cascabeles, corpezuelo o camisa de pechos; y, aunque toque el tamboril, no se ha de mover de un lugar

Tarugo.

A Mostrenco traigo; helo,
Crespo.

Alcalde

Pingarrón, tocad;

---

109 Las cuatro más famosas Universidades de aquella edad:
París, Salamanca, Oxford y Bolonia.

que la buena majestad
1930 en él verá nuestro celo

(Toca)

y nuestro ingenio lozano. *exhuberant* *vigorous*
Menéate, majadero,
o hazte de rogar primero,
como músico o villano.
1935 ¡Hola! ¿A quién digo ? Sobrino,
danza un poco, ¡pese a mí!

Tarugo

El diablo nos trajo aquí,
según que ya lo adivino.
¡Yérguete, cuerpo del mundo!

(*Ginchale*)

Alcalde

1940 ¡Oh pajes de Satanás!

Reina

Ni le roguéis ni deis más.

Alcalde

Hoy nos echas al profundo [110]
con tu terquedad.

Mostrenco

No puedo
menearme, ¡por San Dios!

Silerio

1945 ¡Qué tierno doncel sois vos!

Tarugo

¿Qué tienes?

Mostrenco

Quebrado un dedo
del pie derecho.

Rey

Dejadle,
y a vuestro pueblo os volved.

---

110 *A lo profundo* — me arrojas *al infierno.*

Alcalde

1950
Si es que me ha de hacer merced,
de Junquillos soy alcalde;
y si castiga a sus pajes,
otra danza le traeremos
que pase a todos extremos
en la invención y en los trajes.

Entranse Tarugo, Alcalde, y Mostrenco

Reina

1955
El alcalde es extremado.

Rey

Y la danza bien vestida.

Reina

Bien platicada y reñida,
y el premio bien esperado.

Silerio

Esta es la de las gitanas
que viene.

Reina

1960
Pues suelen ser
muchas de buen parecer
y de su traje galanas.

Rey

Que tiemble de una gitana
un rey, ¡qué gran poquedad!

Silerio

1965
Verá vuestra majestad,
entre éstas, una galana
y hermosa sobre manera,
y sobre manera honesta.

Rey

¡Caro el mirarla me cuesta!

Reina

1970
¿No llegan? ¿A qué se espera?

Salen los *Músicos,* vestidos a lo gitano; *Inés* y *Belica* y otros dos muchachos, de gitanos, y en vestir a todas, principalmente a *Belica,* se ha de echar el resto; salen asimismo *Pedro,* de gitano, y *Maldonado;* han de traer ensayadas dos mudanzas y su tamboril

Pedro

Vuestros humildes gitanos,
majestades que Dios guarde,
hacemos vistoso alarde
de nuestros brios lozanos.
1975 Quisiéramos que esta danza
fuera toda de brocado;
mas el poder limitado
es muy poco lo que alcanza.
Mas, con todo, mi Belilla,
1980 con su donaire y sus ojos,
os quitará mil enojos,
dándoos gusto y maravilla.
¡Ea, gitanas de Dios,
comenzad, y sea en buen pie!

Reina
1985 Bueno es el gitano, a fe.

Maldonado

Id delanteras las dos.

Pedro

¡Ea, Belica, flor de abril;
Inés, bailadora ilustre,
que podéis dar fama y lustre
1990 a esta danza y a otras mil!

(Bailan)

¡Vaya el boladillo apriesa!
¡No os erréis; guardad compás!
¡Qué desvaída que vas,
Francisquilla! ¡Ea, Ginesa!

Maldonado
1995 Largo y tendido el cruzado, [111]

---

111 *El cruzado* — Danza en la cual se forma una cruz.

y tomen los brazos vuelo.
Si ésta no es danza del cielo,
yo soy asno enalbardado.

Pedro

¡Ea, pizpitas [112] ligeras
2000 y andarríos [113] bulliciosos;
llevad los brazos airosos
y las personas enteras!

Maldonado

El oído en las guitarras,
y haced de azogue los pies.

Pedro

2005 ¡Por San! ¡Buenas van las tres!

Maldonado

Y aun las cuatro no van malas,
Pero Belica es extremo
de donaire, brío y gala.

Pedro

Como no bailan en sala,
2010 que tropiecen cuido y temo.

Cae Belica junto al Rey

¿No lo digo yo? Belilla
ha caído junto al rey.

Rey

Que os alce yo es justa ley,
nueva octava maravilla;
2015 y entended que con la mano
os doy el alma también.

Reina

Ello se ha hecho muy bien;
andado ha el rey cortesano.
¡Bien su majestad lo allana,
2020 y la postra por el suelo,

---

112 *Pizpita* — Ave; aguzanieves. Se refiere a la fuga del baile.
113 *Andarrío* — Ave acuática.

Belica

        _ pues levanta hasta su cielo
        ‾ una caída gitana!

        Mostró en esto su grandeza,
        pues casi fuera impiedad
2025 que junto a su majestad
        nadie estuviera en bajeza;
        y no se pudo ofender
        su grandeza en esto nada,
        pues majestad confirmada
2030 no puede desfallecer;
        y, en cierta manera, creo
        que cabe en la suerte mía
        que me hagan cortesía
        los reyes.

Reina

        Ya yo lo veo.
2035 ¿Que ese privilegio [114] tiene
        la hermosura?

Rey

        ¡Ea, señora,
        no turbéis la justa ahora,
        porque alegra y entretiene!

Reina

        Apriétanme el corazón
2040 esas palabras livianas.
        Llevad aquestas gitanas
        y ponedlas en prisión:
        que es la belleza tirana,
        y a cualquier alma conquista,
2045 y está su fuerza en ser vista.

Rey

        ¿Celos te da una gitana?
        Cierto que es terrible cosa
        e insufrible de decir.

---

114 *Privilegio tiene/la hermosura.* Comp. "...por ser prerro-
gativa de la hermosura que siempre se la **tenga respeto**"
(*El coloquio de los perros*).

Reina

        Pudiérase eso decir,
2050   a no ser ésta hermosa,
        y a ser* vuestra condición
        de rey; pero no es así.
        Llevádmelas ya de ahí.

Silerio

        ¡Extraña resolución!

Inés

2055   Señora, así el pensamiento
        celoso no te fatigue,
        ni hacer hazañas te obligue
        que no lleven fundamento.
        Que a solas quieras oírme
2060   un poco que te diré,
        y en ello no intentaré
        de tu prisión eximirme.

Reina

        A mi estancia las llevad;
        pero traedlas tras mí.

Entranse la Reina *y las* Gitanas

Rey

2065   Pocas veces celos vi
        sin tocar en crueldad.

Silerio

        Una sospecha me afana,
        señor, por lo que aquí veo,
        y es que di de tu deseo
2070   noticia a aquella gitana
        que a la reina quiere hablar
        en secreto, y es razón
        temer que de tu intención
        larga cuenta querrá dar.

Rey

2075   En mi dolor tan acerbo,
        no me queda qué temer,
        pues no puede negro ser

más que sus alas el cuervo.
Venid, y daremos orden
2080 cómo se tiemble en la reina
la furia que en ella reina,
la confusión y desorden.

Entranse el Rey *y* Silerio

Pedro
¡Bien habemos negociado,
gustando vos el* oficio!
Maldonado
2085 Digo que pierdo el juïcio,
y estoy como embelesado.
Belica presa, e Inés
con la reina quiere hablar.
¡Mucho me da que pensar!
Pedro
Y aun que temer.
Maldonado
2090 Así es.
Pedro
Yo, a lo menos, el suceso
no pienso esperar del caso:
que a compás retiro el paso
del gitanesco progreso.
2095 Un bonete reverendo
y el eclesiástico brazo
sacarán de este embarazo
mi persona, a lo que entiendo.
¡Adiós, Maldonado!
Maldonado
Espera.
¿Qué quieres hacer?
Pedro
2100 No, nada;
la suerte tengo ya echada,
y tengo sangre ligera.

No me detendrán aquí
con maromas y con sogas.

Maldonado

2105 En muy poca agua te ahogas.
Nunca pensé tal de ti;
antes, pensé que tenías
ánimo para esperar
un ejército.

Pedro

El hablar;
2110 otras son las fuerzas mías.
Aún no me has bien conocido;
pues entiende, Maldonado,
que ha de ser el hombre honrado
recatado, y no atrevido;
2115 y es prudencia prevenir
el peligro. Queda en paz.

Maldonado

Sin porqué* temes; mas haz
tu gusto.

Pedro

Yo sé decir
que es razón que aquí se tema:
2120 que las iras de los reyes
pasan términos y leyes,
como es su fuerza suprema.

Maldonado

Si así es, vámonos luego,
que nos estará mejor.

Músicos

2125 Todos tenemos temor,
Maldonado.

Maldonado

No lo niego.

Entranse todos.

JORNADA TERCERA

+Sale *Pedro*, como ermitaño, con tres o cuatro taleguillos
de anjeo llenos de arena en las mangas

Pedro

> Ya está la casa vecina
> de aquella viuda dichosa,
> digo de aquella Marina
> 2130 Sánchez, que, por generosa,
> al cielo el alma encamina;

(Marina, a la ventana)

> ya su marido, Vicente
> del Berrocal, fácilmente
> saldrá de la llama horrenda,
> 2135 en cuanto Marina entienda
> que yace en ella doliente;
> su hijo, Pedro Benito,
> amainará desde luego
> el alto espantoso grito
> 2140 con que se queja en el fuego
> que abrasa el negro distrito;
> dejará de estar mohino
> Martinico, su sobrino,
> el del lunar en la cara,
> 2145 viendo que se le prepara
> de la gloria el real camino.

Viuda

> Padre, espere, que ya abajo,
> y perdone si le doy
> en el esperar trabajo.

(Quítase de la ventana, y baja)

Pedro

2150 Gracias a los Cielos doy,
que me luce si trabajo;
gracias doy a quien me ha hecho
entrar en aqueste estrecho,
donde, sin temor de mengua,
2155 me ha de sacar esta lengua
con honra, gusto y provecho.
Memoria, no desfallezcas,
ni por algún accidente
silencio a la lengua ofrezcas;
2160 antes, con modo prudente,
ya me alegres, ya entristezcas,
en los semblantes me muda
que con aquesta viuda
me acrediten, hasta tanto
2165 que la dejen, con espanto,
contenta, pero desnuda.

Sale la *Viuda*

Viuda

Padre, déme aquestos pies.

Pedro

Tente, honrada labradora;
no me toques. ¿Tú no ves
2170 que adonde la humildad mora
pierde el honor su interés?
Las almas que están en penas,
de todo contento ajenas,
aunque más las soliciten
2175 las ceremonias no admiten
de que están las cortes llenas,
Más les importa una misa
que cuatro mil besamanos,
y esto tu padre te avisa,
2180 y esos tratos cortesanos
tenlos por cosa de risa.
Pero, en tanto que te doy
cuenta, amiga, de quién soy,

guárdame aqueste talego,
2185 y este otro del nudo ciego
con quien tan cargado voy.

Viuda

Ya, señor, tengo noticia
de quién eres, y sé bien
que tu voluntad codicia,
2190 que en misericordia estén
las almas, y no en justicia.
Sé la honrada comisión
que tienes, y, en conclusión,
te suplico que me cuentes
2195 cómo las de mis parientes
tendrán descanso y perdón.

Pedro

Vicente del Berrocal,
tu marido, con setenta
escudos de principal
2200 ha de rematar la cuenta
de mil bienes de su mal.
Pedro Benito, tu hijo,
saldrá de aquel escondrijo
con cuarenta y seis no más,
2205 y con esto le darás
un sin igual regocijo.
Tu hija, Sancha Redonda,
pide que a su voluntad
tu larga mano responda:
2210 que es soga la caridad
para aquella cueva honda.
Cincuenta y dos amarillos
pide, redondos, sencillos,
o ya veinte y seis doblados,
2215 con que serán quebrantados
de sus prisiones los grillos.
Martín y Quiteria están,
tus sobrinos, en un pozo,
padeciendo estrecho afán,
2220 y desde allí con sollozo

amargas voces te dan.
Diez doblones de a dos caras
piden que ofrezca en las aras
de la devoción divina,
2225 pues que los tiene Marina
entre sus cosas más caras.
Sancho Manjón, tu buen tío,
padece en una laguna
mucha sed y mucho frío,
2230 y con llantos te importuna
que des a su mal desvío.
Solos catorce ducados
pide, pero bien contados
y en plata de cuño nuevo,
2235 y yo a llevarlos me atrevo
sobre mis hombros cansados.

Viuda

¿Vistes allá, por ventura,
señor, a mi hermana Sancha?

Pedro

Vila en una sepultura
2240 cubierta con una plancha
de bronce, que es cosa dura,
y, al pasarle por encima,
dijo: "Si es que te lastima
el dolor que aquí te llora,
2245 tú, que vas al mundo ahora,
a mi hermana y a mi prima
dirás que en su voluntad
está el salir de estas nieblas
a la inmensa claridad:
2250 que es luz de aquestas tinieblas
la encendida caridad.
Que apenas sabrá mi hermana
mi pena, cuando esté llana
a darme treinta florines,
2255 por poner ella sus fines
en ser cuerda, y no de lana."
Infinitos otros vi,

tus parientes y criados,
que se encomiendan a ti,
2260 cuáles hay de a dos ducados,
cuáles de a maravedí;
y séte decir, en suma,
que, reducidos con pluma
y con tinta a buena cuenta,
2265 a doscientos y cincuenta
escudos llega la suma.
No te azores, que ese saco
que te di a guardar primero,
si es que bien la cuenta saco,
2270 me lo dió un bodeguero,
gran imitador de Caco, [115]
no más de porque a su hija,
que entre rescoldo de hornija
yace en las hondas cavernas,
2275 en sus delicadas piernas
el fuego menos la aflija.
Un mozo de mulas fué
quien me dió el saco segundo
que en tus manos entregué,
2280 gran caminador del mundo,
—malo, mas de buena fe.
De arenas de oro de Tibar [116]
van llenos, con que el acíbar
y amarguísimo trabajo
2285 de las almas de allá abajo
se ha de volver en almíbar.
¡Ea, pues, mujer gigante,
mujer fuerte, mujer buena;
nada se os ponga delante
2290 para no aliviar la pena
de toda ánima penante!

---

115 *Caco* — Ladrón mitológico; ladrón que roba con destreza.
116 *Arenas de oro de Tíbar. Tíbar*: de oro puro. Comp. "Lo más fino tibar que vi con mis ojos" F. de Rojas, *La Celestina*. Clásicos Castellanos, pág. 11.

Desechad de la garganta
ese nudo que os quebranta,
y decid con voz serena:
2295 "Haré, señor, cuanto ordena
tu voz sonora y santa."
Que, en entregando los numos [117]
en estas groseras manos,
con gozos altos y sumos,
2300 sus fuegos más inhumanos
verás convertir en humos.
¿Qué será ver a deshora
que por la región del aire
va un alma zapateadora
2305 bailando con gran donaire,
de esclava hecha señora?
¡Qué de alabanzas oirás
por delante y por detrás,
ora vayas, ora estés,
2310 de toda ánima cortés
a quién hoy libertad das!

(Vuélvele los sacos)

Viuda

Tenga, y un poco me espere,
que yo voy, y vuelvo luego
con todo aquello que quiere.

Entrase la *Viuda*

Pedro

2315 En gusto, en paz y en sosiego
tu vida el Cielo prospere.
Si bien en ello se advierte,
aquésta es la mujer fuerte
que se busca en la Escritura.

_____

117 *Numos* — Moneda o dinero.

2320 Tengas, Marina, ventura
en la vida y en la muerte.
Belilla, [118] gitana bella,
todo el fruto de este embuste
gozarás sin falta o mella,
2325 aunque tu gusto no guste
de mi amorosa querella.
Cuanto este dinero alcanza
se ha de gastar en la danza
y en tu adorno, porque quiero
2330 que por galas ni dinero
no malogres tu esperanza.

Vuelve la *Viuda* con un gato lleno, como que trae el dinero

Viuda
          Toma, venerable anciano,
          que ahí va lo que pediste,
          y aun a darte más me allano.
Pedro
2335 Marina, el tuyo me diste
con el proceder cristiano.
En trasponiendo esta loma,*
en un salto daré en Roma
y en otro en el centro hondo;
2340 y porque a quien soy respondo,
mi buena bendición toma,
que da salud a las muelas,
preserva que no se engañe
nadie con fraude y cautelas,
2345 ni que de mirar se extrañe

---

[118] Todo esto se refiere a la jornada segunda. Casalduero, quien lo ha notado primero, supone que "el editor traspapeló los pliegos" porque la danza acaba de tener lugar, y que por eso este engaño de la viuda debería situarse, probablemente, "entre el diálogo del Comisario de las danzas con Maldonado y Belica y el próximo diálogo entre el criado del rey y la gitana Inés" (Casalduero, *op. cit. pág.* 187).

las nocturnas centinelas.
Puede en las oscuras salas
tender sin temor las alas
el más flaco corazón

(Bendícela)
2350 llevando la bendición
del gran Pedro de Urdemalas.

Entrase *Pedro*

Viuda

Comisario fidedino [119]
de las almas que en trabajo
están pensando contino,
2355 pues dicen que es cuesta abajo
del purgatorio el camino,
échate a rodar, y llega
ligero a la oscura vega
o valle de llanto amargo,
2360 y aplícalas al descargo
que mi largueza [120] te entrega.
En cada escudo que di,
llevas mi alma encerrada,
y en cada maravedí,
2365 y como cosa encantada
parece que quedo aquí.
Ya yo soy otra alma en pena,
después que me veo ajena
del talego que entregué;
2370 pero en hombros de mi fe
saldré a la región serena.

Entrase, y sale la *Reina,* y trae en un pañizuelo unas joyas, y sale con ella *Marcelo,* caballero anciano

Reina

Marcelo, sin que os impida

---

119 *Fidedino* — Fidedigno.
120 *Largueza* — Liberalidad.

la guarda de algún secreto,
porque no os pondrá en aprieto
2375 de perder fama mi vida,
os ruego me respondáis
a ciertas preguntas luego.

Marcelo

Bien excusado es el ruego,
señora, donde mandáis.
2380 Preguntad a vuestro gusto,
porque mi honra y mi vida
está a vuestros pies rendida,
y es de lo que yo más gusto.

Reina

Estas joyas de valor,
2385 ¿cúyas son o cúyas fueron?

Marcelo

Un tiempo dueño tuvieron
que siempre fué mi señor.

Reina

Pues ¿cómo se enajenaron?
Porque me importa saber
2390 cómo aquesto vino a ser:
si se dieron, o se hurtaron.

Marcelo

Pues que ya la tierra cubre
el delito y la deshonra,
si es deshonra y si es delito
2395 el que amor honesto forja,
quiero romper un silencio
que no importa que se rompa
ni a los muertos ni a los vivos;
antes, a todos importa.
2400 La duquesa Félix Alba,
que Dios acoja en su gloria,
una noche en luz escasa
y en tinieblas abundosa,
estando yo en el terrero,
2405 con esperanza dudosa
de ver a la que me diste,

gran señora, por esposa,
por un turbado ceceo*
me llamó, y con voz ansiosa
2410 me dijo: "Así la ventura
a tus deseos responda,
señor, quienquiera que seas,
que, en esta ocasión forzosa,
mostrando pecho cristiano,
2415 a quien te llama socorras.
Pon a recado esa prenda,
más noble que venturosa;
dale el agua del bautismo
y el nombre que tú le escojas."
2420 Y en esto ya descolgaba
de unas trenzas, que de soga
sirvieron, una cestilla
de blanca mimbre olorosa.
No dijo más, y encerróse.
2425 Yo quedé en aquella hora
cargado, suspenso y lleno
de admiración y congoja,
porque oí que una criatura
dentro de la cesta llora,
2430 así cual recién nacida.
¡Ved qué carga, y a qué hora!
En fin, porque presto veas
el de aquesta extraña historia,
digo que al punto salí,
2435 con diligencia no poca,
de la ciudad al* aldea
que está sobre aquella loma,
por ser cerca. Pero el Cielo,
que infortunios acomoda,
2440 me deparó en el camino,
al despuntar de la* aurora,
un rancho de unos gitanos,
de pocas y humildes chozas.
Por dádivas y por ruegos,
2445 una gitana no moza

me tomó la criatura
y al punto desenvolvióla,
y entre las fajas, envueltas
en un lienzo, halló esas joyas,
2450   que yo conocí al momento,
pues son de tu hermano todas.
Dejéselas con la niña,
que era una niña hermosa
la que en la cesta venía,
2455   nacida de pocas horas;
encarguéle su crianza
y el bautismo, y que, con ropas
humildes, empero limpias,
la criase, ¡Extraña cosa!:
2460   que cuando de este suceso
mi lengua a tu hermano informa,
dijo: "Marcelo, la niña
es mía, como las joyas.
La duquesa Félix Alba
2465   es su madre, y ella es sola
el blanco de mis deseo,
y de mis penas la gloria.
Inmaturo ha sido el parto,
mal prevenida la toma;
2470   pero no hay falta que llegue
de su ingenio a la gran sobra."
Estando en estas razones,
en son tristísimo doblan
las campanas, sin que quede
2475   monasterio ni parroquia.
El son general y triste
daba indicios ser persona
principal la que a la tierra
el común tributo torna.
2480   Hizo manifiesto el caso
un paje que entró a deshora
diciendo: "Muerta es, señor,
Félix Alba, mi señora.
De improviso murió anoche,

2485 y por ella, señor, forman
este son tantas campanas
y tantas gentes que lloran."
Con estas nuevas tu hermano
quedó con el alma absorta,
2490 sin movimiento los ojos,
inmovible la persona.
Volvió en sí desde allí a un rato,
y, sin decirme otra cosa
sino: "Haz criar la niña
2495 y no le quites las joyas;
como gitana se críe,
sin hacerle sabidora,
aunque crezca, de quién es,
porque esto a mi gusto importa",
2500 Dos horas tardó en partirse
a las fronteras, do apoca
con su lanza la morisma, [121]
sus gustos, con sus memorias.
Siempre me escribe que vea
2505 a Belica, que llamóla
así la gitana sabia
que con mucho amor crióla.
Yo no alcanzo su desinio, [122]
ni a qué aspira, ni en qué topa
2510 el no querer que se sepa
tan rara y tan triste historia.
Hanle dicho a la muchacha
que un ladrón gitano hurtóla,
y ella se imagina hija
2515 de alguna real persona.
Yo la he visto muchas veces,
y hacer y decir mil cosas,
que parece que ya tiene
en las sienes la corona.

---

121 *Morisma* — Multitud de moros.
122 *Desinio* — Designio, propósito.

2520 Murió la que la dió leche,
y, con las joyas, dejóla
en poder de otra su hija,
si no tan bella, tan moza.
Esta, que es la que tenía
2525 esas joyas, no otra cosa
sabe más de lo que supo
su madre, y el hecho ignora
de los padres de Isabel,
tu sobrina, la hermosa,
2530 la señora, la garrida,
la discreta y la briosa.
Respondo esto a la pregunta
si se dieron esas joyas,
o se hurtaron: que me admira
2535 verlas donde están ahora.

Reina

La mitad he yo sabido
de esta peregrina historia,
y una y otra relación,
sin que discrepen, conforman.
2540 Mas dime: ¿conocerías,
si acaso vieses, la hermosa
gitana que dices?

Marcelo

Sí;
como a mí mismo, señora.

Reina

Pues espérate aquí un poco.

Entrase la *Reina*

Marcelo

2545 ¿Quién trajo aquí aquestas joyas?
¡Cómo a los Cielos y al tiempo
por jamás se encubre cosa!
¿Si he hecho mal en descubrirme?
Sí: que lengua presurosa
2550 no da lugar al discurso,
y más condena que abona.

Vuelven la *Reina*, *Belica* e *Inés*

Reina

¿Es aquél el que venía
a ver a tu hermana?

Inés

Sí;
que con mi madre le vi
2555 comunicar más de un día.

Reina

Con eso, y con el semblante,
que al de mi hermano parece,
ya veo que se me ofrece
una sobrina delante.

Marcelo

2560 Así lo puedes creer:
que esa que traes de la mano
es la prenda que tu hermano
quiere y debe más querer.
Si ilustre por el padre
2565 la ha hecho Dios en el suelo
no menos la hace el Cielo
extremada por la madre,
y ella, por su hermosura,
merece ser estimada.

Salen el *Rey* y el *Caballero*

Rey

2570 Ello es cosa averiguada
que no hay celos sin locura.

Reina

Y sin amor, señor mío,
dijerais mucho mejor.

Rey

Celos son rabia, y amor
2575 siempre de ella está vacío;
y de la causa que es buena
mal efecto no procede.

Reina

En mí al contrario sucede:
siempre celos me dan pena,
2580 y siempre los ha engendrado
el grande amor que yo os tengo.

Rey

Si hay venganza, yo me vengo
con que os hayáis engañado,
pues no podrán redundar
2585 de vuestras preguntas hechas
tan vehementes sospechas,
que me puedan condenar,
ni yo, si miráis en ello,
soy de sangre tan liviana,
2590 que a tan humilde gitana
incline el altivo cuello.

Reina

Mirad, señor, que es hermosa,
y que la rara belleza
se lleva tras sí la alteza
2595 y fuerza más poderosa.
Por mis ojos, [123] que lleguéis
a mirar sus bellos ojos.

Rey

Si gustáis de darme enojos,
no es buen medio el que ponéis.

Reina

2600 ¿Cómo? ¿Y qué así os amohina
el mirar a una doncella
que, después de ser tan bella,
aspira a ser mi sobrina?

Belica

¿Qué ha de ser aquesto, Inés?
2605 Que me voy imaginando
que se están de mí burlando.

---

123 **Por mis ojos:** (Te juro) *por mis ojos.*

Inés

Reina
Calla, y sabráslo después.

Miradla así, descuidado,
y decidme a quién parece.

Rey
2610 A los ojos se me ofrece
de Rosamiro un traslado.

Reina
No es mucho, porque es su hija,
y como a tal la estimad.

Caballero
¿Burla vuestra majestad?

Reina
2615 No es bien que eso se colija
de verdad tan manifiesta.

Rey
Si no burláis, es razón
que me causa* admiración
tal novedad como es ésta.

Reina
2620 Llegad al rey, Isabel,
y decid que os dé la mano
como a hija de mi hermano.

Belica
Como sierva llego a él.

Rey
Levantad, bella criatura,
2625 que de vuestro parecer
muy bien se puede creer
y esperar mayor ventura.
Pero decidme, señora:
¿cómo sabéis esta historia?

Reina
2630 Aunque es breve y es notoria
no es para decidla ahora.
Vámonos a la ciudad,
que en el camino sabréis

lo que luego creeréis
2635 como infalible verdad.

Rey

Vamos.

Marcelo

No hay dudar, señor,
en historia que es tan clara,
pues su rostro la declara,
y yo, que soy el actor.

Vanse entrando todos, y a la postre quedan *Inés* y *Belica*

Inés

2640 Belica, pues vas sobrina
de la reina, por lo menos,
esos tus ojos serenos
a nuestra humildad inclina.
Acuérdate de que hartamos*
2645 más de una vegada [124] juntas,
y que sin soberbia y puntas
más de otras cinco bailamos;
y que, aunque habemos andado
muchas veces a las greñas,
2650 siempre en efecto y por señas
te he temido y respetado.
Haz algún bien, pues podrás,
a nuestros gitanos pobres;
así en venturosa sobres
2655 a cuantas lo fueron más.
Responde a lo que se ve
de tu ser tan principal.

Belica

Dame, Inés un memorial, [125]
que yo le despacharé.

---

124 *La vegada* — Vez.
125 *Memorial* — Carta en que se solicita un favor.

2 Entranse, y sale *Pedro de Urdemalas,* con manteo y bonete, como estudiante

2660 Dicen que la variación
hace a la naturaleza
colma de gusto y belleza,
y está muy puesto en razón.
Un manjar a la cantina [126]
2665 enfada, y un solo objeto
a los ojos del discreto
da disgusto y amohina.
Un solo vestido cansa.
En fin, con la variedad
2670 se muda la voluntad,
y el espíritu descansa.
Bien logrado iré del mundo
cuando Dios me lleve de él,
pues podré decir que en él
2675 un Proteo [127] fuí segundo.
¡Válgame Dios, qué de trajes
he mudado, y qué de oficios,
qué de varios ejercicios,

---

[126] *A la cantina:* sin variación. Comp. La vieja Dorista, habla también de la "diferencia" y del "un", pero con claro propósito celestinesco, cuando dice a Clavela:

¿No sabes tú que el ratón,
cuando tiene un agujero,
nunca goza el año entero
segura la posesión?
Cuando en cas de un mercader
algo pretendes comprar
¿no le obligas a sacar
diferencias para ver?
(Lope de Vega, La francesilla, I)

[127] *Proteo* — Dios marino, que cambiaba la forma cuando quería. Fig. un hombre de carácter inconstante.

qué de exquisitos lenguajes!
2680 Y ahora, como estudiante,
de la reina voy huyendo,
cien mil azares temiendo
de esta mi suerte inconstante.
Pero yo ¿por qué me cuento,
2685 que llevo [en] mudable palma?
Si ha de estar(siempre nuestra alma
en continuo movimiento,)
Dios me arroje ya a las partes
donde más fuere servido.

Sale un *Labrador* con dos gallinas

Labrador
2690 Pues yo no las he vendido;
Pedro
bien parece que es hoy martes. [128]
Mostrad, hermano; llegad,
llegad, mostrad. ¿Qué os turbáis?
Ellas son de calidad,
2695 que en cada una mostráis
vuestra grande caridad.
Andad con Dios y dejadlas,
y desde lejos miradlas,
como a reliquias honradlas,
2700 para el culto dedicadlas,
bucólico, y adornadlas.
Labrador
Como me las pague, haga
altar o reliquias de ellas,
o lo que más satisfaga
a su gusto.
Pedro
2705 Sólo es de ellas

---

128 *Martes* — día popularmente de mala suerte.

santa y justísima paga
hacer de ellas un empleo
que satisfaga al deseo
del más mirado cristiano.

Labrador

2710　Saldrá su designio vano,
señor zote, a lo que creo.

Salen dos *Farsantes,* que se señalan con números 1 y 2

Pedro

Sois hipócrita y malino, [129]
pues no tenéis miramiento
que os habla un hombre cetrino, [130]
2715　hombre que vale por ciento
para hacer un desatino;
hombre que se determina,
con una y otra gallina,
sacar de Argel dos cautivos
2720　que están sanos y están vivos
por la voluntad divina.

Farsante 1.o

Este cuento es de primor,
juega de hermano mayor.

Pedro

2725　¡Oh fuerzas del interés,
llenas de envidia y rigor!
¿Qué es posible que te esquives,
por tan pocos arrequives, [131]
de sacar sendos cristianos
2730　de mano de los tiranos?
¡Cómante malos caribes!

129　*Malino* — Maligno.
130　*Cetrino* — De color oliváceo. Fig. Melancólico.
131　*Arrequives* — Requisitos.

Labrador

Diga, señor papasal: [132]
¿son, por ventura, mostrencas [133]
mis gallinas, ¡pesiatal!,
2735 para no hacerme de pencas [134]
de dar mi pobre caudal?
Rescaten a esos cristianos
los ricos, los cortesanos,
los frailes, los limosneros:
2740 que yo no tengo dineros
si no lo ganan mis manos.

Farsante 1.º

Esforcemos este embuste.
Sois un hombre mal mirado,
de mala yacija y fuste, [135]
2745 hombre que es tan desalmado,
que no hay cosa de que guste.

Pedro

La maldición de mi zorra, [136]
de mi bonete y mi gorra,
caiga en ti y en tu ralea,
2750 y cautivo yo te vea
en Fez en una mazmorra,
para ver si te holgarás
de que sea quien entonces,
por dos gallinas no más.
2755 ¡Oh corazones de bronces,
archivos de Satanás!
¡Oh miseria de esta vida,

---

132 *Papasal* — Simple.
133 *Mostrencas* — (Sin casa) sin propietario.
134 *Hacerse de pencas* — No consentir fácilmente en hacer una cosa.
135 *Ser de mala yacija y fuste* — Ser mala persona y sin substancia.
136 *Zorra* — Especie de pelliza.

a términos reducida,
que vienen los cortesanos
2760 a rogar a los villanos,
gente non santa y perdida!

Labrador

¡Pesia a mí! Denme mis aves,
que yo no estoy para dar
limosna.

Farsante 1.o

¡Qué poco sabes
2765 de achaque de rescatar
dos hombres gordos y graves!
Yo los tengo señalados,
corpulentos y barbudos,
de raro talle y presencia,
2770 que valen en mi conciencia
más de trescientos ducados,
y por estas dos gallinas
solamente los rescato.
¡Ved qué entrañas tan malinas
2775 tiene este pobre pazguato, [137]
criado entre las encinas!
¡Ya la ruindad y malicia,
la miseria y la codicia
reina sólo entre esta gente!

Labrador

2780 Aún bien que hay aquí teniente
corregidor y justicia.

Entrase el Labrador

Pedro

Y yo tengo lengua y pies.
Esperen, y lo verán.

---

137 *Pazguato* — Simple, bobo.

Farsante 1.º

2785 Sois un traidor Magancés,
hombre de aquellos que dan
mohatras de tres en tres.

Farsante 2.º

Déjele vuesa merced,
que, pues ya dejó en la red
las cosas,* vaya en buen hora.

Farsante 1.º

2790 Pues bien: ¿qué haremos ahora?

Pedro

Lo que es vuestro gusto haced,
Despójese de su pluma
el rescate, y véase luego,
con resolución y en suma,
2795 si hay algún rancho o bodego
donde todo se consuma:
que yo, a fe de compañero,
desde ahora me prefiero
a dar todo el aderente. [138]

Farsante 2.º

2800 Hay un grande inconveniente:
que hemos de ensayar primero.

Pedro

Pues dígame: ¿son farsantes?

Farsante 1.º

Por nuestros pecados, sí.

Pedro

Haz de mis dichas Atlantes,
2805 cerros de mi Potosí,
de mi pequeñez gigantes;
en vosotros se me ofrece

---

138 *Aderente* — Adherente.

todo aquello que apetece
mi deseo en sumo grado.

Farsante 2.o

2810 ¿Qué vendaval os ha dado,
que así el seso os desvanece?

Pedro

—Sin duda, he de ser farsante,
y haré que estupendamente
la fama mis hechos cante,
2815 y que los lleve y los cuente
en Poniente y en Levante.
Volarán los hechos míos
hasta los reinos vacíos
de Policea, y aún más,
2820 en nombre de Nicolás,
y el sobrenombre de Ríos: [139]
que éste fué el nombre de aquel
mago* que a entender me dió
quién era el mundo cruel,
2825 ciego que sin vista vió
cuantos fraudes hay en él.
En las chozas y en las salas,
entre las jergas y galas
será mi nombre extendido,
2830 aunque se ponga en olvido
el de Pedro de Urdemalas.

Farsante 2.o

Enigma y algarabía
es cuanto habláis, señor,
para nosotros.

Pedro

Sería
2835 falta de ingenio y valor

---

139 *Ríos* — Famoso representante y *autor* de comedias. Llevó
una juventud desvergonzada y no es imposible la coinci-
dencia: Pedro — Ríos. Véase el Prólogo.

contaros la historia mía,
a lo menos por ahora.
Vamos; que si se mejora
mi suerte con ser farsista,
2840 seréis testigos de vista
del ingenio que en mí mora,
principalmente en jugar
las tretas de un entremés
hasta do pueden llegar.

Sale otro *Farsante*

Farsante 3.o
2845 ¿No advertirán que ya es
hora y tiempo de ensayar?
Porque pide el rey comedia,
y el autor [140] ha ya hora y media
que espera. ¡Grande descuido!

Farsante 1.o
2850 Pues con ir presto, yo cuido
que ese daño se remedia.
Venga, galán, que yo haré
que hoy quede por recitante.

Pedro
Si lo quedo, mostraré
2855 que soy para autor bastante
con lo menos que yo sé.
Llegado ha ya la ocasión
donde la adivinación
que un hablante Malgesí
2860 echó a* un tiempo sobre mí,
tenga efeto y conclusión.

---

140 *Autor* — Antiguamente, entre los cómicos, el que cuidaba
de administrar los intereses de la compañía.

Ya podré ser [141] patriarca,
pantífice y estudiante,
emperador y monarca:
2865 que el oficio de farsante
todos estados abarca;
y, aunque es vida trabajosa,
es, en efecto, curiosa,
pues cosas curiosas trata,
2870 y nunca quien la maltrata
le dará nombre de ociosa.

*Entranse todos, y sale un Autor con unos papeles como
comedia, y dos Farsantes, que todos se señalan por número*

Autor

Son muy anchos de conciencia
vuesas mercedes, y creo,
por las señales que veo,
2875 que me ha de faltar paciencia.
¡Cuerpo de mí! ¿En veinte días
no se pudiera haber puesto
esta comedia? ¿Qué es ésto?
Ellas son venturas mías.
2880 Póneme esto en confusión,
y en un rencor importuno,
que nunca falle ninguno
al pedir de la ración,
y al ensayo es menester
2885 que con perros y hurones
los busquen, y aun a pregones,
y no querrán parecer.

Pedro

¿Quién un agudo embustero,

---

141 *Ya podré ser* — Cervantes expresa sus ideas sobre la profesión de los farsantes. Teoriza (vv. 2894-2927) sobre los
requisitos que un farsante "*ha de* tener", sobre los personajes y el arte dramático.

ni un agudo hablador,
2890 sabrá hacerle mejor
que yo, si es que hacerle quiero?

Autor

Si no pica de arrogante
el dómine, mucho sabe.

Pedro

Sé todo aquello que cabe
2895 en un general farsante;
sé todos los requisitos
que un farsante ha de tener
para serlo, que han de ser
tan raros como infinitos.
2900 De gran memoria, primero;
segundo, de suelta lengua;
y que no padezca mengua
de galas es lo tercero.
Buen talle no le perdono,
2905 si es que ha de hacer los galanes;
no afectado en ademanes,
ni ha de recitar con tono.
Con descuido cuidadoso,
grave anciano, joven presto,
2910 enamorado compuesto,
con rabia si está celoso.
Ha de recitar de modo,
con tanta industria y cordura,
que se vuelva en la figura
2915 que hace de todo en todo.
A los versos ha de dar
valor con su lengua experta,
y a la fábula que es muerta
ha de hacer resucitar.
2920 Ha de sacar con espanto
las lágrimas de la risa,
y hacer que vuelvan con [p]risa
otra vez al triste llanto.
Ha de hacer que aquel semblante

2925 que él mostrare, todo oyente
le muestre, y será excelente
si hace aquesto el recitante.

Sale* el *Alguacil* de las comedias

Alguacil

¿Ahora están tan despacio?
¿Esperarlos he a que acaben?
2930 Bien parece que no saben
las nuevas que hay en palacio.
Vengan, que ya me amohína
la posma que en ellos reina,
aguardando el rey o reina
2935 a la nueva su sobrina.

Autor

¿Qué sobrina?

Alguacil

Una gitana,
dicen, que es bella en extremo.

Pedro

Que sea Belica temo.
¿Y eso es verdad?

Alguacil

Y tan llana,
2940 que yo no sé cuál se sea
mayor verdad por ahora.
Y la reina, mi señora,
hacerle fiestas desea.
Venid, que allá lo sabréis
2945 todo como pasa al punto.

Pedro

Mucho bien me vendrá junto
si por vuestro me queréis.

Autor

Admitido estáis ya al gremio
de nuestro alegre ejercicio,
2950 pues vuestro raro juicio

— 147 —

mayor lauro pide en premio.
Largo hablaremos después.
Vamos, y haremos la prueba
de vuestra gracia tan nueva
2955 ensayando un entremés.

Pedro

No me hará ventaja alguno
en eso, cual se verá.

Alguacil

Señores, que es tarde ya.

Autor

¿Falta aquí alguno?

Farsante 1.o

Ninguno.

Vanse todos, y salen el *Rey* y *Silerio*

Rey

2960 En cualquier traje se muestra
su belleza al descubierto:
gitana, me tuvo muerto;
dama, a matarme se adiestra.
El parentesco no afloja
2965 mi deseo; antes, por él
con ahinco más cruel
toda el alma se congoja.

(Suenan guitarras)

Pero ¿qué música es ésta?

Silerio

Los comediantes serán,
2970 que adonde se visten van.

Rey

Ya me entristece la fiesta;
ya sólo con mi deseo
quisiera avenirme a solas,
y dar costado a las olas

<pre>
2975   del mar de amor do me veo.
       Pero escucha, que mi historia
       parece que oigo cantar,
       y es señal que ha de durar
       luengos siglos su memoria.
</pre>

Salen los *Músicos* cantando este romance

Músicos
<pre>
       2980   Bailan las gitanas;
              míralas el rey;
              la reina, con celos
              mándalas prender.
              Por Pascua de Reyes
       2985   hicieron al rey
              un baile gitano
              Belica e Inés;
              turbada Belica
              cayó junto al rey,
       2990   y el rey la levanta
              de puro cortés;
              mas como es Belica*
              de tan linda tez,
              la reina, celosa,
       2995   mándalas prender.
</pre>

Silerio
<pre>
              Vienen tan embebecidos,
              que no nos echan de ver.
</pre>

Rey
<pre>
              Cantan lo que debe ser
              suspensión de los sentidos.
</pre>

Músico 1.o
<pre>
       3000   El rey está aquí. ¡Chitón!
              Quizá no le agradará
              nuestra canción.
</pre>

Músico 2.o
<pre>
              Sí hará,
</pre>

por ser nueva la canción,
y no contiene otra cosa,
3005 fuera de que es dulce y grave,
que decir lo que se sabe:
que es la reina recelosa,
y hechura de la mujer
tener celos del marido.

Rey

3010 ¡Qué bien que lo has entendido!
Détele* el diablo a entender.
Silerio, mi muerte y vida
vienen juntas. ¿Qué haré?

Silerio

Mostrar a un tiempo la fe,
3015 aquí cierta, allí fingida.

Salen la *Reina* y *Belica,* ya vestida de dama; *Inés,* de gitana; *Maldonado,* el *Autor, Martín Crespo,* el alcalde, y *Pedro de Urdemalas*

Pedro

Famosa Isabel, que ya
fuiste Belica primero;
Pedro, el famoso embustero,
postrado a tus pies está,
3020 tan hecho a hacer desvaríos,
que, para cobrar renombre,
el Pedro de Urde, su nombre,
ya es Nicolás de los Ríos.
Digo que tienes delante
3025 a tu Pedro conocido,
de gitano convertido,
en un famoso farsante,
para servirte en más obras
que puedes imaginar,
3030 si no le quieres faltar
con lo mucho en que a otros sobras.

Tu presunción y la mía
han llegado a conclusión:
la mía sólo es* ficción;
3035   la tuya, como debía.
Hay suertes de mil maneras,
que, entre donaires y burlas,
hacen señores de burlas,
como señores de veras.
3040   Yo, farsante, seré rey
cuando le haya en la comedia,
y tú oyente, ya eres media
reina por valor y ley.
En burlas podré servirte,
3045   tú hacerme merced de veras,
si tras las mañas ligeras
del vulgo no quieres irte;
en lo* cual, si alguno hubo
o hay humilde en rica alteza,
3050   siempre queda* la bajeza
de aquel principio que tuvo.
Pero tu ser y virtud
me tienen bien satisfecho,
que no llegará a tu pecho
3055   la sombra de ingratitud.
Por aquesta buena fe,
de la reina, ¡oh gran sobrina!,
y por ver que a ti se inclina
quien gitano por ti fue,
3060   que al rey pidas te suplico,
andando el tiempo, una cosa
más buena que provechosa,
porque a mi gusto la aplico.

Rey

Desde luego la concedo;
3065   pide lo que es de tu gusto.

Pedro

Por ser lo que quiero justo,
lo declararé sin miedo.

— 151 —

Y es que, pues claro se entiende
que el recitar es oficio
3070 que a enseñar, en su ejercicio,
y a deleitar sólo atiende,
y para esto es menester
grandísima habilidad,
trabajo y curiosidad,
3075 saber gastar y tener.
que ninguno no le haga
que las partes no tuviere
que este ejercicio requiere,
con que enseñe y satisfaga.
3080 Preceda examen primero,
o muestra de compañía,
y no por su fantasía
se haga autor un panadero.
Con esto pondrán la mira
3085 a esmerarse en su ejercicio:
que tanto es bueno el oficio,
cuanto es el fin a que aspira.

Belica

Yo haré que el rey, mi señor,
vuestra petición conceda.

Rey

3090 Y aun otras, si hay en que pueda
valerme vuestro favor.

Reina

Con mejores ojos miro
ahora que la miréis,
y en cuanto por ella hacéis,
3095 más me alegro que me admiro.
Ya mi voluntad se inclina
a acreditar a los dos:
que entre mis celos y vos
se ha puesto el ser mi sobrina.
3100 Vamos a oír la comedia
con gusto, pues que los Cielos

— 152 —

no ordenaron que mis celos
la volviesen en tragedia.
Y avisaráse a mi hermano
3105 luego deste hallazgo bueno.

Entrase la *Reina*

Rey

Ya yo le tengo en el seno
y le toco con la mano,
¡Oh imaginación, que alcanzas
las cosas menos posibles,
3110 si alcanzan las imposibles
de reyes las esperanzas!

Silerio

No te aflijas, que no es tanto
el parentesco que impida
hallar a tu mal salida.

Rey

3115 Sí; mas moriré entre tanto.

Entrase el *Rey* y *Silerio*

Maldonado

Señora Belica, espere;
mire que soy Maldonado,
su conde.

Belica

Tengo otro estado
que estar aquí no requiere,
3120 Maldonado, perdonadme,
que yo os hablaré otro día.

Inés

¡Hermana Belica mía!

Belica

La reina espera; dejadme.

Entrase *Belica*

Inés

3125 ¡Entróse! ¡Quién me dijera
aquesto casi antiyer!
No lo pudiera creer
si con los ojos lo viera.
¡Válame Dios, y qué ingrata
mochacha, y qué sacudida!

Pedro

3130 La mudanza de la vida
mil firmezas desbarata,
mil agravios comprehende,
mil vivezas atesora,
y olvida sólo en un hora
3135 lo que en mil siglos aprende.

Alcalde

Pedro, ¿cómo estás aquí
tan galán? ¿Qué te has hecho?

Pedro

Pudiérame haber deshecho,
si no mirara por mí.
3140 Mudado he de oficio y nombre,
y no es así como quiera:
hecho estoy una quimera.

Alcalde

Siempre tú fuiste gran hombre.
Yo por el premio venía
3145 de la danza que enseñaste,
que en ella claro mostraste
tu ingenio y tu bizarría;
y si en el mundo no hubiera
pajes, yo sé que durara
3150 su fama hasta que llegara
la edad que ha de ser postrera.

Clemente y Clemencia están
muy buenos, sin ningún mal,
y Benita con Pascual
3155 garrida vida se dan.

Sale *Uno*

Uno

Sus majestades aguardan;
bien pueden ya comenzar.

Pedro

Después podremos hablar.

Uno

Miren que dicen que tardan.

Pedro

3160 Ya ven vuesas mercedes que los reyes
aguardan allá dentro, y no es posible
entrar todos a ver la gran comedia
que mi autor representa, que alabardas
y lancineque [142] y frinfón* impiden

---

142 *Lancineques y frinfrón* — Dicen Sch. y B. (nota: 228-2):
No hallamos textos que ayuden a explicar dos palabras *lan-*
cineques y frinfrón. Como Cervantes menciona tres impe-
dimentos para la entrada de la *gente mosquetera* a la representación a la cual asisten los reyes: las *alabardas,* los
lancineques y el *frinfrón,* es posible que aluda a las tres
guardias (española, tudesca y borgoñona) que velaban por
las personas de los Monarcas españoles. En tal caso, estará
lancineques por *lansquenetes. Frinfrón* es *flinflón,* y de él
dice el *Diccionario de Autoridades:* "El hombre de presencia abultada, fresco de cara, y rubio, como alemán u
otra nación del Norte. Parece pudo dársele este nombre
por la figura onomatopeya, del sonido fuerte y violento
de su pronunciación. Otros dicen *frinfrón*".

3165 la entrada a toda gente mosquetera.
Mañana, en el teatro, se hará una,
donde por poco precio verán todos
desde el principio al fin toda la traza,
[y verán que no acaba en casamiento, [143]
3170 cosa común y vista* cien mil veces,
ni que parió la dama esta jornada,
y en otra tiene el niño ya sus barbas,
y es valiente y feroz, y mata y hiende,
y venga de sus padres cierta injuria,
y al fin viene a ser rey de un cierto
3175   [reino
que no hay cosmografía que le muestre.
De estas impertinencias y otras tales
ofreció la comedia libre y suelta,
pues llena de artificio, industria y galas.
3180 se cela* del gran Pedro de Urdemalas.]

---

143 *No acaba en casamiento* — El lacayo Ocaña termina la
comedia cervantina *La entretenida* con estos versos:

> *Esto en este cuento pasa:*
> *los unos por no querer,*
> *los otros por no poder,*
> *al fin ninguno se casa.*
> *Desta verdad conocida*
> *pido me den testimonio:*
> *que acaba sin matrimonio*
> *la comedia entretenida.*

FIN DE LA COMEDIA
"P E D R O   D E   U R D E M A L A S"

VARIANTES

JORNADA PRIMERA

Salen — *Entran* (BAE) y Sch. y B. "Entrar" por "Salir" con una excepción: "Salen" (los Músicos), BAE y Sch. y B. también: "Salen" (sigue al v. 1970).

v.   24   *Le* — *la* (BAE) y Sch. y B.
v.   138   *Porqué* — *por qué* (BAE); *por que* (Sch. y B.)
v.   202   *Discreto* — *decreto* (BAE) y Sch. y B.
v.   275   *Siéntese* — *Siéntense* (BAE).
v.   295   *Tiesamente* — *tiestamenta* (BAE) y Sch. y B.
v.   296   *Soñador* — *sonador* (BAE) y Sch. y B.
v.   341   *De* — *dé* (BAE).
v.   444   *Columna* — *coluna* (BAE) y Sch. y B.
v.   446   *Pues que* — *Puesto que* (BAE) y Sch. y B.
v.   563   *Ce* — *se* (BAE) y Sch. y B.
v.   563   *Ve* — *vee* (BAE) y Sch. y B. (v. 1349).
v.   633   *Río* — *rico* (BAE) y Sch. y B.
v.   646   *Comencé* — *comenzó* (BAE) y Sch. y B.
v.   658   *Ser un potro* — *ser en un potro* (BAE) y Sch. y B.
v.   728   *Ballestina* — *ballestilla* (BAE) y Sch. y B.
v.   748   *"Añadióle"* — BAE: Parece mejor *"Añadidle"*.
v.   820   *Se* — *sé* (BAE).
v.   844   *El* — *al* (BAE) y Sch. y B.
v.   849   *Por* — *a* (BAE) y Sch. y B. (quien—pl. quienes).
v.   882   *Dióle* — *vió la* (BAE) y Sch. y B.
v.   904   *Lo* — *le* (BAE) y Sch. y B.
v.   915   *El* (alma) — *al* (BAE) y Sch. y B.
v. 1133   *Señora* — *ceñora* (BAE) y Sch. y B.
v. 1194   *Y* — sin la *"i"* (BAE) y Sch. y B.

JORNADA SEGUNDA

v. 1440   *Del* — *de* (BAE) y Sch. y B.
v. 1457   *Lo* — *le* (BAE) y Sch. y B.
v. 1485   *Este* — *esto* (BAE) y Sch. y B.
v. 1597   *Aplace* — *place* (BAE) y Sch. y B.
v. 1884   *El* — *al* (BAE) y Sch. y B.
v. 1911   *Echará* — *echaré* (BAE).
v. 2051   *Y a ser* — *Y a (no) ser* (BAE) y Sch. y B.
v. 2084   *El* — *del* (BAE) y Sch. y B.
v. 2117   *Porqué* — *porque* (BAE) y Sch. y B.

JORNADA TERCERA

v. 2337 *Loma* — El texto, "coma" (BAE).
v. 2408 Este verso falta en la BAE.
v. 2436 *Al* — *a la* (BAE).
v. 2441 *De la* — *del* (BAE) y Sch. y B.
v. 2618 *Causa* — *cause* (BAE) y Sch. y B.
v. 2644 *Hartamos* — *hurtamos* (BAE).
v. 2789 *Cosas* — *cobas* (BAE) y Sch. y B.
v. 2823 *Mago* — En el texto, "*algo*".
v. 2860 *A* — Falta esta letra (BAE) y Sch. y B.
v. 2992 *Belica* — *Belilla* (BAE) y Sch. y B.
v. 3011 *Détele* — *Dételo* (BAE) y Sch. y B.
v. 3034 *Es* — *en* (BAE) y Sch. y B.
v. 3048 *Lo* — *el* (BAE) y Sch. y B.
v. 3050 *Queda* — El texto, "*que lea*".
v. 3164 *Frinfón* — *frinfrón* (BAE) y Sch. y B.
v. 3170 *Vista* — el texto, "*besta*" (BAE).
v. 3180 *Se cela* — Sch. y B. proponen, "*sacóla*".